INTÉRPRETE DE MALES

INTÉRPRETE DE MALES

JHUMPA LAHIRI

contos

Tradução
José Rubens Siqueira

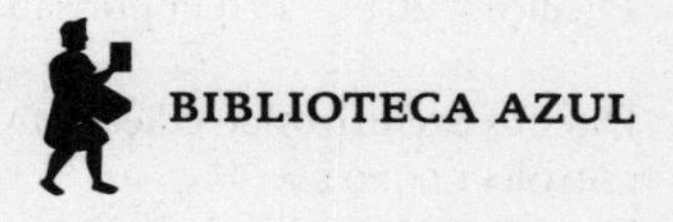

Texto fixado conforme as regras do novo Acordo Ortográfico da Língua Portuguesa (Decreto Legislativo nº 54, de 1995).

Título original: *Interpreter of Maladies*

Editor responsável: Ana Lima Cecilio
Editores assistentes: Erika Nogueira Vieira e Juliana de Araujo Rodrigues
Preparação de texto: Maria Fernanda Alvares
Revisão: Rogério Trentini
Capa: Adriana Bertolla
Diagramação: Jussara Fino
Imagem de capa: "Gazing at the Moon", de Rani Jha

CIP-BRASIL. CATALOGAÇÃO NA PUBLICAÇÃO
SINDICATO NACIONAL DOS EDITORES DE LIVROS, RJ

L185i
Lahiri, Jhumpa
Intérprete de males/Jhumpa Lahiri;
tradução José Rubens Siqueira.
1. ed. – São Paulo: Biblioteca Azul, 2014
209 p.; 21 cm.
Tradução de: *Interpreter of maladies*

ISBN 978-85-250-5759-4

1. Conto inglês. I. Siqueira, José Rubens. II. Título.

14-13031 CDD: 823
CDU: 821.111-3

1ª edição, 2014 - 1ª reimpressão, 2023

Direitos exclusivos de edição em língua portuguesa para o Brasil adquiridos por
EDITORA GLOBO S.A.
Rua Marquês de Pombal, 25
20.230-240
Rio de Janeiro, RJ
www.globolivros.com.br

Para meus pais e para minha irmã

Sumário

UMA QUESTÃO TEMPORÁRIA

A notificação informava que era uma questão temporária: por cinco dias a eletricidade seria cortada durante uma hora, a partir das oito da noite. Uma linha caíra na última tempestade de neve e os operários iam aproveitar as noites mais brandas para arrumá-la. O trabalho afetaria apenas as casas da tranquila rua arborizada na qual Shoba e Shukumar moravam havia três anos, de onde se podia ir a pé até as lojas com fachada de tijolos e o ponto do bonde.

— Bondade deles ter avisado — Shoba admitiu depois de ler a notificação em voz alta, mais para si mesma que para Shukumar. Deslizou dos ombros a alça da mochila de couro, recheada de pastas, e deixou-a no corredor ao entrar na cozinha. Usava uma capa de chuva de popelina azul-marinho por cima da calça de moletom cinza e tênis branco, com a aparência do tipo de mulher que um dia havia jurado nunca ser em seus trinta e três anos.

Estava voltando da academia. O batom vermelho-escuro só era visível no contorno externo da boca e o delineador deixara marcas escuras debaixo dos cílios inferiores. Shukumar pensou que ela, às vezes, ficava com essa cara de manhã depois de uma festa ou de uma noite no bar, quando sentia preguiça de lavar o rosto, louca para cair nos braços dele. Ela jogou uma pilha de correspondência em cima da mesa sem nem olhar. Ainda estava atenta ao comunicado em sua outra mão.

— Mas eles deviam fazer isso durante o dia.

— Quando eu estou em casa, você quer dizer — disse Shukumar. Pôs a tampa de vidro na panela com o cordeiro, ajeitou para que ficasse saindo só um pouquinho do vapor. Desde janeiro, estava trabalhando em casa, tentando terminar os capítulos finais de sua dissertação sobre as revoltas agrárias da Índia. — Quando começa o conserto?

— Diz aqui que em dezenove de março. Hoje é dezenove? — Shoba foi até o painel de cortiça pendurado ao lado da geladeira, sem nada além de um calendário com padrões de papel de parede da William Morris. Olhou aquilo como se fosse a primeira vez, estudando cuidadosamente o padrão do papel de parede da parte superior antes de baixar os olhos para o quadriculado embaixo. Uma amiga havia mandado por correio o calendário como presente de Natal, embora Shoba e Shukumar não tivessem comemorado o Natal naquele ano.

— É hoje então — Shoba anunciou. — Aliás, você tem dentista sexta-feira que vem.

Ele passou a língua pela ponta dos dentes: tinha esquecido de escová-los de manhã. Não era a primeira vez. Não saíra de casa o dia inteiro, nem no dia anterior. Quanto mais Shoba ficava longe de casa, quanto mais horas extras pegava no trabalho e em projetos adicionais, mais ele queria ficar em casa, sem sair nem para pegar a correspondência, ou comprar frutas ou vinho nas lojas perto do ponto do bonde.

Seis meses antes, em setembro, Shukumar estava numa conferência acadêmica em Baltimore quando Shoba entrou em trabalho de parto, três semanas antes da data. Ele não queria ir à conferência, mas ela insistira; era importante para fazer contatos e ele iria entrar no mercado profissional no ano seguinte. Ela dissera que tinha o telefone do hotel, uma cópia dos horários dele, os números de voos, e combinara com sua amiga Gillian para levá-la ao hospital no caso de emergência. Quando partiu para o aeroporto naquela manhã, Shoba ficou dando adeus em seu roupão, um braço apoiado no volume da barriga como se fosse uma parte absolutamente natural de seu corpo.

Toda vez que ele pensava nesse momento, o último momento em que vira Shoba grávida, era do táxi que mais se lembrava, uma perua pintada de vermelho com letras brancas. Era ampla comparada com seu carro. Embora Shukumar medisse um metro e oitenta, com mãos grandes demais até para acomodar confortavelmente nos bolsos da calça jeans, ele se sentira pequeno no banco de trás. Enquanto o táxi corria pela Beacon Street, pensara no dia em que ele e Shoba talvez tivessem de comprar uma perua para levar os filhos para aulas de música e consultas no dentista. Ele se imaginara agarrado à direção, enquanto Shoba virava para trás para distribuir as caixinhas de suco para as crianças. Uma vez, essas imagens de paternidade haviam perturbado Shukumar, somando-se à ansiedade de ainda ser estudante aos trinta e cinco anos. Mas naquela manhã de outono, bem cedo, as árvores ainda pesadas com folhas de bronze, ele deu as boas-vindas à imagem pela primeira vez.

Um funcionário o havia encontrado de algum jeito entre as salas de convenções idênticas e lhe entregara um quadrado de papel cartonado. Era apenas um número de telefone, mas Shukumar sabia que era do hospital. Quando voltou para Boston, já estava tudo terminado. O bebê nascera morto. Shoba estava deitada, dormindo, num quarto individual tão pequeno que mal havia espaço para ficar parado ao lado dela, numa ala do hospital que não haviam visitado em sua expedição de pais grávidos. A placenta havia enfraquecido e ela fora submetida a uma cesariana, embora não com a devida urgência. O médico explicou que essas coisas aconteciam. Seu sorriso foi o mais gentil possível para pessoas que só se conhece profissionalmente. Em poucas semanas, Shoba estava de novo em atividade. Nada indicava que não pudesse ter filhos no futuro.

Agora, sempre que Shukumar acordava, Shoba já havia saído. Ele abria os olhos, via os longos fios de cabelo preto que ficavam no travesseiro e pensava nela, vestida, tomando já sua terceira xícara de café no escritório na cidade, onde procurava erros tipográficos em livros didáticos, que marcava com um código que um dia explicara a ele, com uma coleção da lápis coloridos. Ela prometera que faria o mesmo com a dissertação dele, quando estivesse pronta. Ele invejava a especificidade do trabalho dela, tão diferente da natureza difusa do dele. Era um estudante medíocre que tinha facilidade para absorver detalhes sem curiosidade. Até setembro tinha sido diligente, se não dedicado, resumindo capítulos, esboçando argumentações em cadernos de papel amarelo pautado. Mas agora ficava deitado na cama até se entediar, olhando seu lado do armário, que Shoba sempre deixava meio aberto, a fileira de paletós de *tweed* e calças de veludo que nem precisaria escolher para dar suas aulas neste semestre. Depois que o bebê morreu, era tarde demais para desistir de seu compromisso com as aulas. Mas seu orientador arranjou as coisas de forma que ele ficasse livre no semestre da primavera. Shukumar estava no sexto ano de pós-graduação.

— Isso e o verão vão dar um bom impulso — o orientador dissera. — Até setembro você consegue fechar tudo.

Mas nada impulsionava Shukumar. Em vez disso, pensava em como ele e Shoba haviam se tornado peritos em evitar um ao outro na casa de três quartos, passando o máximo de tempo possível em andares separados. Pensou que não ficavam mais esperando os fins de semana, quando ela passava horas sentada no sofá com seus lápis coloridos e pastas, e ele temia que botar uma música em sua própria casa pudesse ser rude. Pensou quanto tempo fazia que ela não olhava nos olhos dele e sorria, ou sussurrava seu nome nas raras ocasiões em que ainda buscavam um o corpo do outro antes de dormir.

No começo, ele havia acreditado que isso ia passar, que ele e Shoba iriam superar de alguma forma. Ela estava com trinta e três anos apenas. Era forte, disposta outra vez. Mas isso não consolava. Muitas vezes, já era quase hora do almoço quando Shukumar finalmente saía da cama e descia até o bule de café para tomar o resto que Shoba deixara para ele, ao lado de uma caneca vazia, em cima da bancada.

Shukumar recolheu as cascas de cebola com a mão e deixou que caíssem na lata de lixo, em cima das fatias de gordura que havia tirado do carneiro. Abriu a torneira da pia, limpou a faca e a tábua de cortar, esfregou metade de um limão na ponta dos dedos para tirar o cheiro de alho, truque que havia aprendido com Shoba. Eram sete e meia. Pela janela, via o céu, como piche negro e macio. Montes de neve irregulares ainda se acumulavam sobre as calçadas, embora estivesse suficientemente quente para as pessoas saírem sem chapéu nem luvas. Na última tempestade caíra quase um metro de neve, de forma que durante uma semana as pessoas tiveram de andar em fila indiana, em trincheiras estreitas. Durante uma semana, essa foi a desculpa de Shukumar para não sair de casa. Mas agora as trincheiras estavam se ampliando, a água drenava, constante, para as grelhas de escoamento.

— O carneiro ainda não vai estar pronto às oito — disse Shukumar. — Talvez a gente tenha de comer no escuro.

— Podemos acender velas — Shoba sugeriu. Ela soltou o cabelo, preso na nuca durante o dia, e tirou os tênis sem desamarrar. — Vou ver se tomo uma ducha antes que acabe a força — disse ela, indo para escada. — Desço logo.

Shukumar empurrou a mochila e os tênis para longe da geladeira. Ela não era assim antes. Costumava pendurar o casaco num cabide, deixar os tênis no armário e pagar as contas assim que chegavam. Mas agora tratava a casa como se fosse um hotel. O fato de a poltrona de chintz amarela da sala entrar em choque com o tapete turco azul e marrom não a incomodava mais. Na varanda fechada dos fundos da casa, em cima de uma poltrona de vime, ainda estava um saco branco cheio de renda que ela um dia planejara transformar em cortinas.

Enquanto Shoba tomava banho, Shukumar foi ao banheiro do andar térreo e debaixo da pia encontrou uma escova de dentes nova ainda na caixa. As cerdas baratas, duras, machucavam a gengiva e ele cuspiu um pouco de sangue na pia. Shoba comprara aquela escova numa promoção, para o caso de alguma visita resolver passar a noite na casa no último minuto.

Típico dela. Era do tipo que se prepara para surpresas, boas ou más. Se encontrava uma saia ou uma bolsa de que gostava, comprava duas. Guardava os bônus de seu trabalho em outra conta bancária em seu nome. Isso não o incomodava. A mãe dele havia despencado quando seu pai morrera, abandonando a casa em que ele crescera e se mudando para Calcutá, deixando Shukumar sozinho para providenciar tudo. Ele gostava que Shoba fosse diferente. Ficava perplexo com sua capacidade de se antecipar. Quando ela fazia as compras, a despensa estava sempre equipada com embalagens extras de azeite de oliva e óleo de milho, dependendo da comida que estivessem fazendo, italiana ou indiana. Havia inúmeras caixas de massa de todas as formas e cores, sacos lacrados de arroz basmati, cortes inteiros de carneiro e cabrito dos açougues muçulmanos de Haymarket, congelados em incontáveis sacos plásticos. Em sábados alternados, circulavam pelo labirinto de barracas que Shukumar acabou conhecendo de cor. Ele ficava, sem poder acreditar, vendo-a comprar mais comida, arrastando sacolas de lona ao passar no meio da multidão, discutindo com rapazinhos jovens demais para se barbear, mas já com dentes faltando, que fechavam retorcendo sacos de papel pardo com alcachofras, ameixas, gengibre e inhames, que jogavam na balança e atiravam para Shoba, um a um. Ela não se importava com empurrões, mesmo quando estava grávida. Era alta, de ombros largos, com quadris que sua obstetra garantira serem feitos para parir. Ao voltar de carro para casa, na curva ao longo da Charles, eles invariavelmente se deslumbravam com a quantidade de comida que haviam comprado.

E que nunca desperdiçavam. Quando apareciam amigos, Shoba servia refeições que parecia ter levado dias para preparar, com coisas que ela havia congelado e embalado, não coisas baratas de latas, mas pimentões que ela mesma havia marinado com alecrim, e *chutneys* que ela fazia aos domingos, mexendo panelas de tomates e ameixas secas. Seus vidros de boca larga ocupavam as prateleiras da cozinha em pirâmides lacradas, suficientes, ambos concordavam, para seus netos provarem. Agora tinham comido tudo. Shukumar recorrera ao suprimento para preparar refeições para os dois, medindo xícaras de arroz, descongelando sacos de carne dia após dia. Ele espiava os livros de receitas dela todas as tardes, obedecendo suas instruções anotadas a lápis para usar duas colheres de coentro moído em vez de uma, ou lentilha vermelha em vez de amarela. Cada receita tinha sua data, revelando a primeira vez que tinham comido juntos aquele prato. Dois de abril, couve-flor com erva-doce. Catorze de janeiro, frango com passas e amêndoas. Ele não se lembrava de ter comido nenhum daqueles pratos, mas lá estavam, registrados na linda letra de revisora de provas de sua mulher. Shukumar agora gostava de cozinhar. Era a única coisa que o fazia se sentir produtivo. Sabia que, se não fosse ele, Shoba era capaz de comer uma tigela de cereal no jantar.

Essa noite, sem luz, iam ter de jantar juntos. Havia meses serviam-se no fogão, ele levava seu prato para o estúdio e deixava a comida esfriar em cima da mesa antes de engolir tudo sem pausa, enquanto Shoba levava seu prato para a sala de estar e assistia a programas de esporte ou lia suas provas com o arsenal de lápis coloridos à mão.

Em algum momento da noite, ela o visitava. Quando ele a ouvia chegando, deixava de lado o romance e começava a digitar frases. Ela pousava as mãos nos ombros dele e olhava junto com ele a luminosidade azulada da tela do monitor. "Não trabalhe demais", ela dizia depois de um ou dois minutos, e ia para a cama. Era o único momento do dia em que o procurava e, no entanto, ele passara a abominar aquilo. Sabia que era uma coisa que ela se forçava a fazer. Ele olhava as paredes do estúdio, que tinham decorado juntos no verão anterior, com uma borda de patinhos marchando e coelhos tocando cornetas e tambores. No final de agosto, havia um berço de cerejeira debaixo da janela, uma cômoda-trocador branca com puxadores verde-claros e uma cadeira de balanço com almofadas xadrez. Shukumar desmontara tudo antes de trazer Shoba de volta do hospital, raspando os coelhos e os patos com uma espátula. Por alguma razão, o quarto não o incomodava tanto como incomodava Shoba. Em janeiro, quando parou de trabalhar em seu cubículo na biblioteca, instalou a escrivaninha ali deliberadamente, em parte porque o quarto o acalmava, em parte porque era um lugar que Shoba evitava.

Shukumar voltou à cozinha e começou a abrir gavetas. Tentou encontrar uma vela no meio das tesouras, batedores de ovos, espátulas, pilões e uma mão de pilão que ela havia comprado num bazar em Calcutá e que usava para amassar dentes de alho e bagas de cardamomo na época em que cozinhava. Encontrou uma lanterna, mas sem pilhas, e uma caixa de velinhas de aniversário pela metade. Shoba havia lhe dado uma festa de aniversário surpresa em maio passado. Cento e vinte pessoas se acotovelaram na casa, todos os amigos e amigos dos amigos que eles agora evitavam sistematicamente. Garrafas de vinho verde numa cama de gelo na banheira. Shoba no quinto mês de gravidez, bebendo refrigerante numa taça de martíni. Ela havia feito um bolo de creme de baunilha com cobertura e açúcar de confeiteiro. A noite inteira ficara com os dedos entrelaçados com os de Shukumar, se deslocando entre os convidados.

Desde setembro, a única visita havia sido da mãe de Shoba. Ela viera do Arizona e ficara dois meses com eles, depois que Shoba voltou do hospital. Fazia o jantar toda noite, ia de carro sozinha ao supermercado, lavava as roupas deles, guardava. Era uma mulher religiosa. Instalou um altarzinho, uma imagem emoldurada de uma deusa de cara arroxeada e um prato de pétalas de flor na mesa de cabeceira do quarto de hóspedes, e rezava duas vezes ao dia por netos saudáveis no futuro. Ela era gentil com Shukumar, sem ser amigável. Dobrava os suéteres dele com uma habilidade que aprendera em seu trabalho numa loja de departamentos. Substituiu um botão que faltava em seu casaco de inverno e tricotou para ele um cachecol marrom e bege, com que o presenteou sem a menor cerimônia, como se ele tivesse acabado de derrubá-lo no chão sem notar. Nunca falava com ele sobre Shoba; uma vez, quando ele mencionou a morte do bebê, ela ergueu os olhos do tricô e disse:

— Mas você nem estava lá.

Ele achou estranho não haver velas de verdade na casa. Que Shoba não tivesse se preparado para uma ocorrência tão simples. Procurou então algo em que fixar as velas de aniversário e escolheu a terra de um vaso de hera que normalmente ficava no peitoril da janela em cima da pia. Mesmo estando a centímetros da torneira, a terra estava tão seca que ele teve de molhá-la antes para espetar as velas. Empurrou as coisas da mesa da cozinha, a pilha de correspondência, os livros da biblioteca não lidos. Lembrou da primeira refeição deles ali, quando estavam tão felizes de estar casados e vivendo juntos na mesma casa afinal, que simplesmente se procuravam por qualquer motivo bobo, mais dispostos a fazer amor do que comer. Estendeu duas toalhinhas bordadas, presente de casamento de um tio de Lucknow, e pôs os pratos e os cálices que normalmente guardavam para visitas. Colocou a hera no meio, as folhas em forma de estrela, debruadas de branco, engalanadas com dez velinhas. Ligou o rádio-relógio e sintonizou uma estação de jazz.

— O que é tudo isso? — Shoba perguntou ao descer. Estava com o cabelo enrolado numa toalha branca grossa. Desenrolou a toalha e pendurou no encosto de uma cadeira, deixando o cabelo molhado e escuro cair pelas costas. Ao caminhar distraída para o fogão, desembaraçou alguns nós com os dedos. Estava com uma calça de moletom limpa, camiseta, um velho roupão de flanela. A barriga lisa outra vez, a cintura fina acima da expansão dos quadris, o cinto do roupão amarrado num nó frouxo.

Eram quase oito horas. Shukumar pôs o arroz na mesa e a lentilha da noite anterior no micro-ondas, apertando os números do painel.

— Você fez *rogan josh* — Shoba observou, olhando através da tampa de vidro o colorido cozido de páprica.

Shukumar tirou um pedaço do carneiro, beliscou depressa entre os dedos para não se queimar. Cutucou um pedaço maior com a colher de servir para ter certeza de que a carne estava soltando fácil do osso.

— Está pronta — anunciou.

O micro-ondas apitou bem no momento em que as luzes se apagaram e a música sumiu.

— *Timing* perfeito — disse Shoba.

— Só encontrei velinhas de aniversário. — Ele acendeu a hera, mantendo o resto das velas e uma caixa de fósforos ao lado do prato.

— Não tem importância — ela disse, deslizando o dedo pela haste do cálice de vinho. — Ficou lindo.

No escuro, ele sabia como ela se sentava, um pouco para a frente na cadeira, os tornozelos cruzados na travessa mais baixa da cadeira, o cotovelo esquerdo apoiado na mesa. Durante a procura das velas, Shukumar havia encontrado uma garrafa de vinho num engradado que achava estar vazio. Ele prendeu a garrafa entre os joelhos enquanto girava o saca-rolhas. Preocupado em não derramar, pegou os cálices e segurou-os bem perto enquanto vertia o vinho.

Serviram-se, mexendo o arroz com seus garfos, olhando com atenção para remover folhas de louro e cravos do cozido. A cada poucos minutos, Shukumar acendia mais velinhas e as espetava na terra do vaso.

— É como na Índia — disse Shoba, observando enquanto ele arrumava o candelabro improvisado. — Às vezes, a força acabava durante horas. Uma vez, tive de participar de uma cerimônia do arroz inteirinha no escuro. O bebê chorava e chorava. Devia estar com muito calor.

O bebê deles nunca havia chorado, Shukumar pensou. O bebê deles nunca teria uma cerimônia do arroz, muito embora Shoba já tivesse feito uma lista de convidados e resolvido a qual de seus três irmãos ia pedir para dar ao bebê a primeira comida sólida, aos seis meses se fosse menino, aos sete se fosse menina.

— Está com calor? — ele perguntou. Empurrou o vaso de hera iluminado para a outra ponta da mesa, mais perto da pilha de livros e da correspondência, dificultando ainda mais para eles se enxergarem. De repente, ele ficou irritado por não poder subir e sentar na frente do computador.

— Não. Isto aqui está uma delícia — ela falou, batendo no prato com o garfo. — Bom mesmo.

Ele completou o vinho do cálice dela. Ela agradeceu.

Não eram assim antes. Agora, ele tinha de fazer um esforço para dizer alguma coisa que a interessasse, alguma coisa que a fizesse erguer os olhos do prato, ou de suas provas de texto. Ele acabou desistindo de diverti-la. Aprendera a não se importar com os silêncios dela.

— Lembro que, durante as falhas de energia na casa da minha avó, todo mundo tinha de dizer alguma coisa — Shoba continuou. Ele mal conseguiu ver o rosto dela, mas pelo tom sabia que ela estava com os olhos semicerrados, como se tentasse focalizar um objeto distante. Era um costume dela.

— Como o quê?

— Não sei. Um poeminha. Uma piada. Um acontecimento do mundo. Por alguma razão, meus parentes sempre queriam que eu contasse o nome dos meus amigos da América. Não sei por que essa informação era tão interessante para eles. Da última vez que vi minha tia, ela me perguntou de quatro meninas que tinham ido à escola comigo em Tucson. Mal me lembro delas agora.

Shukumar não tinha passado tanto tempo na Índia como Shoba. Os pais dele, que se instalaram em New Hampshire, costumavam voltar para lá sem ele. A primeira vez que voltou, em criança, quase morreu de disenteria amebiana. Seu pai, um tipo nervoso, ficou com medo de levá-lo de novo, no caso de acontecer alguma coisa, e o deixava com a tia e o tio em Concord. Na adolescência, ele preferia velejar em acampamentos ou tomar sorvete durante o verão a ir para Calcutá. Só depois da morte do pai, quando estava no último ano da faculdade, foi que começou a se interessar pelo país e estudou sua história nos livros do curso como se fosse outra matéria do currículo. Agora, ele gostaria de ter tido sua própria história de infância na Índia.

— Vamos fazer isso — ela disse, de repente.

— Fazer o quê?

— Falar alguma coisa um para o outro, no escuro.

— Como o quê? Não sei nenhuma piada.

— Não, piada não. — Ela pensou um momento. — Que tal a gente contar uma coisa que nunca contou para o outro?

— Eu brincava disso na escola — Shukumar lembrou. — Quando ficava bêbado.

— Você está pensando no jogo da verdade. Isto é diferente. Tudo bem, eu começo. — Ela tomou um gole de vinho. — A primeira vez que fiquei sozinha no seu apartamento, olhei sua agenda de endereços para ver se eu estava nele. Acho que a gente se conhecia fazia duas semanas.

— Onde eu estava?

— Você tinha ido atender o telefone na outra sala. Era sua mãe e eu percebi que ia ser uma ligação demorada. Queria saber se você tinha me promovido da margem do seu jornal.

— Eu tinha?

— Não. Mas não desisti de você. Agora é sua vez.

Ele não conseguiu pensar em nada, mas Shoba ficou esperando que falasse. Ela não parecia tão determinada havia meses. O que mais tinha para dizer a ela? Ele pensou no primeiro encontro deles, quatro anos antes, no salão de palestras em Cambridge, onde um grupo de poetas bengaleses estava dando um recital. Acabaram lado a lado em cadeiras desmontáveis de madeira. Shukumar logo se entediou; não decifrava a dicção literária e não conseguia acompanhar o resto da plateia, que suspirava e balançava a cabeça solenemente em certas frases. Espiando o jornal dobrado em seu colo, estudou as temperaturas de cidades do mundo todo. Trinta e três graus em Cingapura ontem, onze em Estocolmo. Quando virou a cabeça para a esquerda, viu uma mulher a seu lado fazendo uma lista de compras no verso de um folheto e ficou pasmo ao descobrir que era linda.

— Tudo bem — ele disse, lembrando. — A primeira vez que nós saímos para jantar, no restaurante português, eu esqueci de dar gorjeta para o garçom. Voltei na manhã seguinte, descobri o nome dele, deixei o dinheiro com o gerente.

— Você voltou até Somerville só para dar gorjeta para o garçom?

— Peguei um táxi.

— Por que você esqueceu da gorjeta?

As velinhas de aniversário tinham se apagado, mas ele percebia o rosto dela claramente no escuro, os grandes olhos fundos, os lábios cheios cor de uva, a queda da cadeirinha alta aos dois anos ainda visível numa vírgula em seu queixo. Shukumar notava, todos os dias, que a beleza dela, que um dia o fascinara, parecia fenecer. Os cosméticos que antes pareciam supérfluos eram necessários agora, não para melhorá-la, mas para defini-la de certa forma.

— No fim do jantar, eu tive uma estranha sensação de que podia casar com você — ele disse, admitindo o fato para si mesmo, tanto quanto para ela, pela primeira vez. — Isso deve ter me distraído.

Na noite seguinte, Shoba voltou para casa mais cedo que o normal. Havia um resto de carneiro da noite anterior, que Shukumar aqueceu, de forma que conseguiram comer por volta das sete horas. Ele havia saído esse dia, pela neve derretendo, e comprado na loja da esquina um pacote de velas e pilhas para a lanterna. Estava com as velas prontas na bancada, presas em suportes de latão em forma de lótus, mas comeram sob a luz do lustre de cobre pendurado no teto sobre a mesa.

Quando terminaram, Shukumar se surpreendeu ao ver Shoba pôr seu prato em cima do dele e levar os dois para a pia. Ele achara que ela ia se retirar para a sala, para trás da sua barricada de pastas.

— Não se preocupe com os pratos — ele disse, pegando-os da mão dela.

— Parece bobagem não lavar — ela respondeu, pingando detergente na esponja. — São quase oito horas.

O coração dele bateu mais rápido. O dia inteiro Shukumar aguardara o momento em que as luzes se apagassem. Pensou no que Shoba havia dito na noite anterior, sobre olhar sua agenda de endereços. Era gostoso lembrar dela como tinha sido naquela época, como tinha sido ousada mesmo que nervosa no primeiro encontro, tão cheia de esperança. Ficaram lado a lado diante da pia, as lembranças se encaixando na moldura da janela. Sentiu-se intimidado, como se sentira da primeira vez que pararam juntos diante de um espelho. Não conseguia lembrar a última vez que tinham sido fotografados. Tinham parado de ir a festas, não iam juntos a lugar nenhum. O filme que estava na câmera ainda continha fotos de Shoba no quintal, grávida.

Ao terminarem os pratos, se encostaram no balcão, enxugando as mãos um em cada ponta da toalha. Às oito horas, a casa ficou escura. Shukumar acendeu as velas, impressionado com as chamas longas, firmes.

— Vamos lá para fora — Shoba disse. — Acho que ainda está quente.

Cada um levou uma vela e se sentaram nos degraus. Parecia estranho sentar-se lá fora com o chão ainda coberto por manchas de neve. Mas estava todo mundo fora de casa essa noite, o ar fresco o bastante para deixar as pessoas inquietas. Portas de correr abriam e fechavam. Um pequeno desfile de vizinhos passou com lanternas.

— Vamos até a livraria dar uma olhada — disse o homem de cabelo grisalho. Estava andando ao lado da esposa, uma mulher magra de casaco quebra-vento, levando um cachorro pela coleira. Eram os Bradford e tinham deixado um cartão de condolências na caixa de correio de Shoba e Shukumar em setembro. — Ouvi dizer que eles têm gerador.

— Melhor mesmo — disse Shukumar —, senão vocês vão olhar no escuro.

A mulher riu, deslizando o braço na curva do cotovelo do marido.

— Vamos com a gente?

— Não, obrigado — Shoba e Shukumar disseram juntos. Ele se surpreendeu de suas palavras coincidirem com as dela.

Perguntou-se o que Shoba iria lhe dizer no escuro. As piores possibilidades já haviam lhe passado pela cabeça. Que ela tinha um caso. Que não o respeitava por ter trinta e cinco anos e ainda ser estudante. Que o culpava por estar em Baltimore, como a mãe dela culpava. Mas ele sabia que essas coisas não eram verdade. Ela era tão fiel quanto ele. Acreditava nele. Ela é que havia insistido que fosse para Baltimore. O que eles não sabiam a respeito um do outro? Ele sabia que ela cerrava os dedos quando dormia, que seu corpo se retorcia durante os pesadelos. Ele sabia que ela gostava mais de melão *honeydew* que de cantalupe. Sabia que quando voltaram do hospital a primeira coisa que ela fez ao entrar na casa foi pegar objetos deles e jogar numa pilha no corredor: livros das estantes, plantas do peitoril das janelas, quadros das paredes, porta-retratos das mesas, panelas e caçarolas que ficavam penduradas em ganchos acima do fogão. Shukumar tinha se afastado, observando enquanto ela se movimentava metodicamente de sala em sala. Quando se satisfez, parou para olhar a pilha que havia feito, os lábios distendidos com tamanho desagrado que Shukumar achou que ela ia cuspir. Então, ela começou a chorar.

Ele estava começando a sentir frio ali na escada. Sentia que ela precisava falar primeiro para ele responder.

— Aquela vez que sua mãe veio visitar a gente — ela disse, finalmente. — Uma noite, eu falei que ia trabalhar até tarde, mas saí com a Gillian e tomei um martíni.

Ele olhou seu perfil, o nariz fino, a posição ligeiramente masculina do queixo. Lembrava bem dessa noite; jantar com sua mãe, cansado por dar duas aulas seguidas, querendo que Shoba estivesse em casa para dizer as coisas certas porque ele só conseguia dizer as coisas erradas. Fazia doze anos que seu pai tinha morrido e a mãe passara duas semanas com ele e Shoba para que pudessem homenagear juntos a memória do pai. Toda noite a mãe preparava alguma comida de que o pai dele gostava, mas ficava muito aflita para comer o que tinha feito e seus olhos se enchiam de lágrimas quando Shoba acariciava sua mão.

— É tão tocante — Shoba tinha dito a ele naquele momento. Ele agora imaginava Shoba com Gillian num bar com sofás de veludo listrado, aquele a que costumavam ir depois do cinema, cuidando para o drink ter uma azeitona a mais, pedindo um cigarro a Gillian. Ele a imaginava reclamando e Gillian consolando a respeito das visitas de parentes. Gillian é que tinha levado Shoba ao hospital.

— Sua vez — ela disse, interrompendo os pensamentos dele.

No fim da rua, ouviram ruído de furadeira e os eletricistas gritando por cima. Ele olhou as fachadas escuras das casas ao longo da rua. Na janela de uma delas brilhavam velas. Apesar do calor, subia fumaça da chaminé.

— Eu colei no meu exame de civilização oriental na faculdade — ele disse. — Era meu último semestre, minha última bateria de exames. Meu pai tinha morrido poucos meses antes. Dava para ver o caderno azul do cara ao meu lado. Era um americano, um maníaco. Ele sabia urdu e sânscrito. Eu não conseguia lembrar se o verso que tinha de identificar era exemplo de gazal ou não. Olhei a resposta dele e copiei.

Isso acontecera mais de quinze anos antes. Ele se sentiu aliviado naquele momento, contando para ela.

Ela se voltou para ele, sem olhar seu rosto, mas seus sapatos: os velhos mocassins que ele usava como chinelos, o couro da parte de trás achatado permanentemente. Ele se perguntou se ela se incomodava com o que acabara de dizer. Ela pegou a mão dele e apertou.

— Não precisava me contar por que fez isso — disse, chegando mais para perto dele.

Ficaram sentados ali, juntos, até as nove da noite, quando a luz voltou. Ouviram pessoas aplaudirem na varanda do outro lado da rua e começarem a ligar televisões. Os Bradford voltaram pela rua, tomando sorvete de casquinha, e acenaram. Shoba e Shukumar acenaram de volta. Depois se levantaram, a mão dele ainda na dela, e entraram em casa.

De alguma forma, sem dizer nada, tinha se transformado naquilo. Numa troca de confissões — as miudezas com que haviam magoado ou decepcionado um ao outro e a si mesmos. No dia seguinte, Shukumar passou horas pensando no que dizer a ela. Estava dividido entre admitir que uma vez havia arrancado a foto de uma mulher de uma das revistas de moda que ela costumava assinar e levado dentro de seus livros durante uma semana, ou contar que não tinha realmente perdido o colete que ela comprara para ele como presente de terceiro aniversário de casamento, mas sim trocado por dinheiro na Filene e se embebedado sozinho no meio do dia num bar de hotel. No primeiro aniversário de casamento, Shoba havia preparado um jantar de dez pratos só para ele. O colete o deprimia.

— Minha esposa me deu um colete de presente de aniversário de casamento — reclamou com o barman, a cabeça pesada de conhaque.

— O que você esperava? — respondeu o barman. — Você é casado.

Quanto à foto da mulher, ele não sabia por que a havia pegado. Ela não era tão bonita como Shoba. Usava um vestido branco com lantejoulas e tinha o rosto amuado e magro, pernas masculinizadas. Estava com os braços nus erguidos, os punhos fechados dos lados da cabeça, como se fosse dar um soco nas próprias orelhas. Era uma propaganda de meias. Shoba estava grávida na época, a barriga imensa de repente, a ponto de Shukumar não querer mais tocá-la. Quando viu a foto pela primeira vez, estava deitado na cama ao lado dela, olhando enquanto ela lia. Quando viu a revista na pilha de recicláveis, encontrou a mulher e arrancou a página com o máximo cuidado. Durante uma semana se permitiu dar uma olhada por dia. Sentia um intenso desejo pela mulher, mas era um desejo que se transformava em desagrado depois de um ou dois minutos. Foi o mais perto que chegou da infidelidade.

Na terceira noite, contou a Shoba sobre o colete; na quarta, sobre a foto. Ela não disse nada quando ele falou, não expressou nem protesto nem censura. Simplesmente ouviu, depois pegou a mão dele e apertou como tinha feito antes. Na terceira noite, ela contou que uma vez, depois de uma palestra a que assistiram, ela deixara que ele conversasse com o diretor de seu departamento sem contar que estava com o queixo sujo de patê. Ficara irritada com ele por alguma razão, então deixara que continuasse falando e falando para garantir sua bolsa para o semestre seguinte, sem pôr um dedo no próprio queixo como sinal. Na quarta noite, ela disse que não gostava do único poema que ele havia publicado na vida, em uma revista literária de Utah. Ele escrevera o poema depois de conhecer Shoba. Ela acrescentou que achava o poema sentimental.

Alguma coisa acontecia quando a casa ficava escura. Os dois conseguiam conversar um com o outro de novo. Na terceira noite, depois do jantar, eles se sentaram juntos no sofá e quando escureceu ele começou a beijá-la, desajeitado, na testa e no rosto, e embora estivesse escuro fechou os olhos e sabia que ela tinha fechado também. Na quarta noite, subiram cuidadosamente a escada, até a cama, tateando juntos com os pés no último degrau antes do patamar e fazendo amor com um desespero que tinham esquecido. Ela chorou sem som e sussurrou o nome dele, e contornou as sobrancelhas dele com o dedo no escuro. Enquanto fazia amor com ela, ele se perguntava o que iria dizer a ela na noite seguinte, e o que ela diria, e a ideia o excitou.

— Me abrace — ela disse —, me abrace apertado.

Quando as luzes voltaram a se acender no andar de baixo, eles estavam dormindo.

Na manhã da quinta noite, Shukumar encontrou na caixa de correspondência outro comunicado da companhia de eletricidade. A linha estava consertada antes do prazo, dizia. Ficou decepcionado. Tinha planejado fazer *malai* de camarão para Shoba, mas quando chegou ao mercadinho não sentia mais vontade de cozinhar. Não era a mesma coisa, pensou, saber que as luzes não iam se apagar. No mercadinho, o camarão parecia cinzento e magro. O leite de coco estava empoeirado e com preço excessivo. Mesmo assim, comprou tudo, mais uma vela de cera de abelhas e duas garrafas de vinho.

Ela voltou para casa às sete e meia.

— Acho que é o fim do nosso jogo — disse, quando a viu lendo o comunicado.

Ela olhou para ele.

— Ainda pode acender as velas se quiser.

Ela não tinha ido à academia essa noite. Estava com um *tailleur* debaixo da capa. A maquiagem tinha sido retocada recentemente.

Quando ela subiu para trocar de roupa, Shukumar se serviu de vinho e pôs um disco, um álbum de Thelonious Monk que sabia que ela gostava.

Quando ela desceu, jantaram juntos. Ela não agradeceu nem fez nenhum elogio a ele. Simplesmente comeram na sala escurecida, à luz das velas de cera. Tinham sobrevivido a um momento difícil. Acabaram com o camarão. Acabaram com a primeira garrafa de vinho e partiram para a segunda. Ficaram sentados até a vela ter queimado quase inteira. Ela se mexeu na cadeira e Shukumar achou que ia dizer alguma coisa. Em vez disso, ela soprou a vela, levantou--se, acendeu a luz e sentou-se de novo.

— Não era melhor deixar a luz apagada? — Shukumar perguntou.

Ela empurrou o prato e pôs as mãos abertas sobre a mesa.

— Quero que você veja o meu rosto quando eu te disser o que vou dizer — falou, delicadamente.

O coração dele começou a bater forte. No dia em que ela lhe dissera que estava grávida, tinha usado as mesmas palavras, pronunciadas no mesmo tom suave, depois de desligar o jogo de basquete a que ele estava assistindo na televisão. Ele não estava preparado na época. Agora estava.

Só que ele não queria que ela estivesse grávida de novo. Não queria ter de fingir que estava contente.

— Andei procurando apartamento e encontrei um — disse ela, apertando os olhos aparentemente para olhar alguma coisa atrás do ombro esquerdo dele. A culpa não era de ninguém, ela continuou. Tinham passado por muita coisa. Ela precisava de algum tempo sozinha. Tinha economizado dinheiro numa conta de poupança. O apartamento ficava em Beacon Hill, de forma que podia ir a pé para o trabalho. Ela havia assinado o contrato essa noite, antes de voltar para casa.

Não conseguia olhar para ele, mas ele olhava para ela. Era evidente que ela havia ensaiado o que dizer. O tempo todo, tinha procurado apartamento, experimentando a pressão da água, perguntando ao corretor se o aquecimento e a água quente estavam incluídos no aluguel. Shukumar sentia enjoo ao pensar que ela havia passado as noites anteriores se preparando para uma vida sem ele. Ficava aliviado, mas ao mesmo tempo enjoado. Era isso que ela vinha tentando lhe dizer nas últimas quatro noites. Era o motivo do jogo dela.

Agora era a vez dele falar. Havia algo que ele jurara nunca dizer a ela e durante seis meses tinha feito o possível para tirar aquilo da cabeça. Antes do ultrassom, ela havia pedido ao médico para não contar o sexo do bebê, e Shukumar havia concordado. Ela queria que fosse surpresa.

Mais tarde, naquelas poucas vezes em que conversaram sobre o que acontecera, ela disse que ao menos haviam sido poupados dessa informação. De certa forma, ela ficava quase orgulhosa de sua decisão, pois permitia que se refugiasse num mistério. Ele sabia que ela achava ser um mistério para ele também. Ele havia chegado de Baltimore tarde demais — quando já estava tudo acabado e ela dormia numa cama de hospital. Mas não era assim. Ele chegara a tempo de ver o bebê e segurá-lo nos braços antes que fosse cremado. De início, ele recuara diante da sugestão, mas o médico dissera que segurar o bebê podia ajudá-lo no processo do luto. Shoba estava dormindo. O bebê tinha sido limpo, as pálpebras bulbosas fechadas para o mundo.

— Nosso bebê era um menino — ele disse. — A pele dele era mais vermelha que marrom. Tinha cabelo preto. Pesava quase três quilos. A mão estava fechada, como a sua durante a noite.

Shoba olhou para ele então, o rosto contraído de tristeza. Ele tinha colado num exame da faculdade, tinha arrancado a foto de uma mulher de uma revista. Tinha trocado um colete e ficado bêbado com o dinheiro no meio do dia. Essas coisas é que havia contado para ela. Ele tinha carregado seu filho, que só conhecera a vida dentro dela, tinha apertado o bebê ao peito numa sala escura de uma ala desconhecida de um hospital. Tinha ficado com ele nos braços até uma enfermeira bater na porta e levá-lo embora, e prometera a si mesmo naquele dia nunca contar a Shoba, porque ele ainda a amava então e era a única coisa na vida que ela quisera que fosse uma surpresa.

Shukumar se levantou e pôs seu prato em cima do dela. Levou os pratos para a pia, mas, em vez de abrir a torneira, olhou pela janela. Lá fora, a noite ainda estava quente e os Bradford passavam de braços dados. Enquanto ele olhava o casal, a sala ficou escura e ele se voltou. Shoba havia apagado a luz. Ela voltou à mesa e sentou-se e depois de um momento Shukumar sentou-se ao lado dela. Os dois choraram juntos, pelas coisas que agora sabiam.

QUANDO O SENHOR PIRZADA VINHA JANTAR

No outono de 1971, um homem costumava vir a nossa casa trazendo balas nos bolsos e esperanças de averiguar a vida e a morte de sua família. O nome dele era sr. Pirzada e era de Daca, hoje capital de Bangladesh, mas na época parte do Paquistão. Naquele ano, o Paquistão estava em guerra civil. A fronteira oriental, onde se localizava Daca, estava lutando por autonomia do poder dominante no Ocidente. Em março, Daca tinha sido invadida, incendiada e bombardeada pelo Exército paquistanês. Professores foram arrastados pelas ruas e mortos a tiros, mulheres arrastadas para quartéis e estupradas. No final do verão, diziam que trezentas mil pessoas haviam sido mortas. Em Daca, o sr. Pirzada possuía uma casa de três andares, uma cadeira de botânica na universidade, uma esposa havia vinte anos e sete filhas entre seis e dezesseis anos, cujos nomes todos começavam com a letra A.

— Ideia da mãe delas — ele explicou um dia, tirando da carteira uma foto em preto e branco das sete meninas num piquenique, as tranças amarradas com fitas, sentadas de pernas cruzadas numa fileira, comendo curry de frango em folhas de bananeira. — Como eu faço para distinguir? Ayesha, Amira, Amina, Aziza, entende a dificuldade?

Toda semana o sr. Pirzada escrevia cartas à esposa e mandava revistas em quadrinhos para cada uma das sete filhas, mas o correio, assim como tudo em Daca, entrara em colapso e ele não teve notícias delas durante mais de seis meses. Nessa época, o sr. Pirzada estava passando um ano nos Estados Unidos, porque havia ganhado uma bolsa do governo do Paquistão para estudar a flora da Nova Inglaterra. Na primavera e no verão, ele recolhera dados em Vermont e no Maine e no outono mudou-se para uma universidade ao norte de Boston, onde morávamos, para escrever um breve livro sobre suas descobertas. A bolsa era uma grande honra, mas quando convertida em dólares não era tão generosa. O sr. Pirzada morava num quarto no alojamento dos graduados e não tinha fogão nem televisão. Então vinha a nossa casa para jantar e assistir ao noticiário noturno.

No começo, eu não sabia a razão de suas visitas. Tinha dez anos e não me surpreendia que meus pais, que eram indianos e tinham muitos conhecidos indianos na universidade, recebessem o sr. Pirzada para comer conosco. Era um campus pequeno, com calçadas estreitas de tijolos e edifícios brancos com colunas, localizado no limiar do que parecia ser uma cidade ainda menor. O supermercado não tinha óleo de mostarda, os médicos não atendiam em casa, os vizinhos apareciam sem ser convidados, e de quando em quando meus pais reclamavam dessas coisas. Em busca de compatriotas, eles costumavam, no começo de cada semestre, ler acompanhando com os dedos as colunas do diretório da universidade, grifando sobrenomes conhecidos de sua parte do mundo. Foi assim que descobriram o sr. Pirzada, telefonaram para ele e o convidaram.

Não tenho lembrança de sua primeira visita, nem da segunda ou terceira, mas no final de setembro eu estava tão acostumada à presença do sr. Pirzada na sala de casa que uma noite, quando colocava as pedras de gelo dentro da jarra de água, pedi a minha mãe que pegasse um quarto copo no armário ainda alto demais para mim. Ela estava ocupada no fogão, controlando uma frigideira de espinafre com rabanete, e não me escutou por causa do ruído do exaustor e da fúria com que raspava a espátula. Recorri a meu pai, que estava encostado na geladeira, comendo castanhas de caju na concha da mão.

— O que foi, Lilia?

— Um copo para aquele moço indiano.

— O senhor Pirzada não vem hoje. Mais importante, o senhor Pirzada não se considera mais indiano — meu pai anunciou, espanando o sal das castanhas da barba preta aparada. — Desde a Partição. Nosso país foi dividido. Em 1947.

Quando falei que achava que essa era a data em que a Índia se tornara independente da Grã-Bretanha, meu pai disse:

— Isso também. Num momento a gente estava livre, no outro partido em dois — explicou, fazendo um X com o dedo na bancada —, como uma torta. Hindus aqui, muçulmanos aqui. Daca não pertence mais a nós.

Ele me contou que, durante a Partição, hindus e muçulmanos punham fogo uns nas casas dos outros. Para muitos, a ideia de comer um na companhia do outro ainda era impensável.

Para mim não fazia sentido. O sr. Pirzada e meus pais falavam a mesma língua, riam das mesmas piadas, pareciam mais ou menos iguais. Comiam picles de manga nas refeições, comiam arroz com a mão toda noite no jantar. Assim como meus pais, o sr. Pirzada tirava os sapatos antes de entrar na casa, mascava sementes de erva-doce como digestivo depois da refeição, não tomava bebida alcoólica, como sobremesa molhava austeros biscoitos em sucessivas xícaras de chá. Mesmo assim, meu pai insistia para que eu entendesse a diferença e me levou até um mapa-múndi que havia pregado na parede acima de sua mesa. Ele parecia temer que o sr. Pirzada pudesse se ofender se eu acidentalmente me referisse a ele como indiano, embora eu não conseguisse imaginar o sr. Pirzada se ofendendo muito com qualquer coisa.

— O senhor Pirzada é bengalês, mas é muçulmano — meu pai me informou. — Portanto, ele mora no Paquistão Oriental, não na Índia. — O dedo dele deslizou pelo Atlântico, atravessou a Europa, o Mediterrâneo, o Oriente Médio, e parou no losango largo e alaranjado que minha mãe havia me dito um dia que parecia uma mulher usando sári com o braço esquerdo estendido. Várias cidades estavam marcadas com um círculo e ligadas por linhas indicando as viagens de meus pais, e o lugar de nascimento deles, Calcutá, indicado com uma pequena estrela prateada. Eu só tinha estado lá uma vez e não me lembrava da viagem.

— Como vê, Lilia, é outro país, de outra cor — disse meu pai. O Paquistão era amarelo, não alaranjado. Notei que havia nele duas partes distintas, uma muito maior que a outra, separadas por uma extensão do território indiano; era como se a Califórnia e Connecticut constituíssem uma nação separada dos Estados Unidos.

Meu pai batucou com os nós dos dedos na minha cabeça.

— Você deve estar informada da situação atual. Sabe que o Paquistão Oriental está lutando por soberania?

Balancei a cabeça, ignorando a situação.

Voltamos para a cozinha, onde minha mãe estava coando o arroz cozido num escorredor. Meu pai abriu a lata sobre o balcão e olhou firme para mim por cima dos óculos, enquanto comia mais algumas castanhas de caju.

— O que exatamente te ensinam na escola? Você estuda história? Geografia?

— Lilia tem muita coisa para aprender na escola — minha mãe falou. — Nós agora moramos aqui, ela nasceu aqui. — Parecia genuinamente orgulhosa do fato, como se fosse uma reflexão sobre meu caráter. Eu sabia que, na avaliação dela, tinha garantidas uma vida segura, uma vida facilitada, uma boa educação, todas as oportunidades. Nunca teria de comer comida racionada, nem respeitar toques de recolher, nem assistir a tumultos de cima do telhado, nem esconder vizinhos nos tanques de água para impedir que fossem fuzilados, como ela e meu pai tinham feito. — Imagine ela ter de frequentar uma escola decente. Imagine ela ter de ler à luz do lampião de querosene nos cortes de energia. Imagine as pressões, os professores, os exames constantes. — Ela passou a mão pelo cabelo, cortado com comprimento conveniente para seu emprego de meio período como caixa de banco. — Como você quer que ela saiba da Partição? Chega de comer castanha.

— Mas o que ela sabe do mundo? — Meu pai chacoalhou a lata de castanhas na mão. — O que ela está aprendendo?

Nós aprendíamos história americana, claro, e geografia americana. Naquele ano e em todos os anos, aparentemente, começávamos estudando a Revolução Americana. Éramos levados em ônibus da escola a excursões para visitar Plymouth Rock e caminhar pela Trilha da Liberdade, escalar até o alto do monumento Bunker Hill. Construíamos dioramas com papel colorido mostrando George Washington atravessando as águas encapeladas do rio Delaware e fazíamos fantoches do rei George usando calça branca apertada e um arco preto no cabelo. Nas provas, nos davam mapas em branco das treze colônias para colocarmos os nomes, as datas e as capitais. Eu sabia fazer tudo isso de olhos fechados.

Na noite seguinte, o sr. Pirzada chegou como sempre às seis da tarde. Embora não fossem mais estranhos, ao se cumprimentarem, ele e meu pai mantinham o costume de apertarem as mãos.

— Entre. Lilia, o casaco do senhor Pirzada, por favor.

Ele entrava na sala, com terno impecável e cachecol, com uma gravata de seda no colarinho. Cada noite aparecia com um conjunto diferente em tons de ameixa, oliva, marrom, chocolate. Era um homem compacto e, embora os pés fossem virados para fora e a barriga ligeiramente grande, mantinha uma postura eficiente, como se levasse nas duas mãos malas de pesos iguais. As orelhas eram isoladas por tufos de pelos grisalhos que pareciam abafar o ruído desagradável do tráfego da vida. Tinha cílios fartos delineados com um traço de cânfora, um bigode generoso torcido de um jeito divertido com as extremidades para cima e uma verruga na forma de uva-passa achatada bem no meio da bochecha esquerda. Usava na cabeça um fez preto de lã de carneiro persa, preso com grampos de cabelo, e nunca o vi sem ele. Embora meu pai sempre se oferecesse para ir buscá-lo com nosso carro, o sr. Pirzada preferia vir a pé de seu alojamento até nosso bairro, distante uns vinte minutos, estudando as árvores e os arbustos do caminho, e quando entrava em casa os nós dos dedos dele estavam vermelhos por causa do ar fresco do outono.

— Mais um refugiado, eu acho, em território indiano.

— Estão estimando em nove milhões, pela última contagem — disse meu pai.

O sr. Pirzada me entregou seu casaco, uma vez que era minha função pendurá-lo no cabide debaixo da escada. Era feito de lã com um xadrez miúdo cinza e azul, o forro listrado e os botões de chifre, com um ligeiro aroma de limão na trama do tecido. Não havia etiquetas visíveis na parte interna, apenas uma pregada à mão com as palavras *Z. Sayeed, Confecção* bordadas em manuscrito com linha preta brilhante. Às vezes, havia uma folha de bétula ou de bordo enfiada num bolso. Ele desamarrava os sapatos, deixava-os encostados ao rodapé; uma pasta dourada grudada na ponta do calcanhar, resultado de andar em nosso gramado úmido e não rastelado. Livre de seus atavios, ele tocava meu pescoço com os dedos curtos e inquietos, como uma pessoa que investiga a solidez da parede antes de pregar um prego. Depois, acompanhava meu pai até a sala, onde a televisão estava ligada no noticiário local. Assim que eles se sentavam, minha mãe vinha da cozinha com um prato de *kebab* de carne moída com *chutney* de coentro. O sr. Pirzada punha um inteiro na boca.

— Só podemos esperar — disse ele, pegando outro — que os refugiados de Daca sejam bem alimentados. Isso me lembra... — Ele procurou no bolso do paletó e me deu um ovinho plástico cheio de corações de canela. — Para a dama da casa — disse com uma reverência quase imperceptível, os pés virados para fora.

— Realmente, senhor Pirzada — minha mãe protestou. — Noite após noite o senhor mima a menina.

— Só mimo crianças que não são mimadas.

Era um momento estranho para mim, momento que eu esperava em parte com receio, em parte com prazer. Ficava encantada com a presença da rotunda elegância do sr. Pirzada, e lisonjeada com a ligeira teatralidade de suas atenções, ao mesmo tempo inquieta com a soberba facilidade de seus gestos, que faziam com que eu me sentisse por um momento como uma estranha em minha própria casa. Tinha se transformado num ritual nosso e, durante várias semanas, antes que estivéssemos mais à vontade um com o outro, era o único momento em que ele falava diretamente comigo. Eu não tinha resposta, não comentava nada, não traía nenhuma reação visível ao fluxo constante de balas recheadas de mel, trufas de framboesa, rolinhos de pastilhas azedinhas. Não conseguia nem agradecer a ele, pois uma vez, quando o fiz, por um pirulito de menta especialmente espetacular embrulhado numa nuvem de celofane roxo, ele me perguntou:

— Agradecer por quê? A moça do banco me agradece, o caixa da loja me agradece, a bibliotecária me agradece quando devolvo um livro fora do prazo, a telefonista internacional me agradece quando tenta fazer uma ligação para Daca e não consegue. Se eu for enterrado neste país, com certeza vão me agradecer no meu enterro.

Na minha opinião, era inadequado consumir de qualquer jeito os doces que o sr. Pirzada me dava. Eu esperava cada tesouro noturno como uma joia, ou uma moeda de um reino soterrado, e o colocava numa caixinha de guardados feita de sândalo entalhado, ao lado de minha cama, na qual, muito tempo antes, na Índia, a mãe de meu pai costumava guardar as nozes de areca moídas que comia depois do banho matinal. Era minha única lembrança de uma avó que não conheci e até o sr. Pirzada entrar em nossas vidas não encontrei nada para guardar nela. De vez em quando, antes de escovar os dentes e aprontar minha roupa para a escola do dia seguinte, eu abria a tampa da caixa e comia uma das delícias.

Nessa noite, como todas as noites, não comemos na mesa de jantar, porque não dava para ver direito a tela da televisão. Em vez disso, nos reunimos em torno da mesa de centro, sem conversar, os pratos apoiados nos joelhos. Da cozinha, minha mãe trouxe uma sucessão de pratos: lentilha com cebola frita, feijão-verde com coco, peixe cozido com passas em molho de iogurte. Eu acompanhava com os copos de água, um prato de limões cortados em quatro e pimentas chili compradas em excursões mensais a Chinatown e guardadas no freezer, que eles gostavam de abrir e amassar junto com a comida.

Antes de comer, o sr. Pirzada sempre fazia uma coisa curiosa. Tirava um relógio de prata simples sem correia que guardava no bolso do peito, segurava-o brevemente a uma das orelhas com seus tufos de pelos e dava corda com três movimentos rápidos de polegar e indicador. Ao contrário de seu relógio de pulso, o relógio de bolso, ele me explicou, marcava a hora de Daca, onze horas à frente. Durante toda a refeição, o relógio ficava em cima de seu guardanapo de papel na mesinha de centro. Ele parecia não consultá-lo nunca.

Agora que eu sabia que o sr. Pirzada não era indiano, comecei a estudá-lo com mais cuidado, tentando entender o que o tornava diferente. Resolvi que o relógio de bolso era uma coisa. Quando o vi essa noite, e ele deu corda e o pôs na mesinha, fui tomada por uma inquietação; me dei conta de que a vida era vivida em Daca primeiro. Imaginei as filhas do sr. Pirzada acordando cedo, amarrando fitas no cabelo, à espera do café da manhã, se preparando para a escola. Nossas refeições, nossas ações eram apenas sombras do que já tinha acontecido lá, um lerdo fantasma da terra real do sr. Pirzada.

Às seis e meia, hora em que começava o noticiário nacional, meu pai aumentava o volume e ajustava a antena. Geralmente eu me ocupava com um livro, mas nessa noite meu pai insistiu que eu prestasse atenção. Na tela, vimos tanques rodando por ruas poeirentas, edifícios destruídos, florestas de árvores desconhecidas onde os refugiados paquistaneses orientais tinham de se abrigar, buscando segurança além da fronteira indiana. Vi barcos com velas em forma de hélice flutuando em largos rios cor de café, uma universidade barricada, sedes de jornais queimadas de alto a baixo. Virei para olhar para o sr. Pirzada; as imagens passavam em miniatura nos olhos dele. Ao assistir, ele tinha uma expressão fixa no rosto, controlado, mas alerta, como se alguém estivesse lhe dando orientação para um destino desconhecido.

Durante o comercial, minha mãe foi à cozinha buscar mais arroz, e meu pai e o sr. Pirzada deploraram a política de um general chamado Yahya Khan. Discutiram intrigas que eu não conhecia, uma catástrofe que eu não conseguia entender.

— Está vendo, crianças da sua idade, o que precisam fazer para sobreviver — meu pai disse enquanto me servia outro pedaço de peixe. Mas eu não conseguia mais comer. Só conseguia dar uma olhadela ao sr. Pirzada, sentado a meu lado com seu paletó verde-oliva, criando calmamente um poço em seu arroz para acomodar uma segunda porção de lentilha. Não era assim que eu imaginava um homem tomado por graves preocupações. Eu me perguntava se a razão para ele estar sempre tão bem-vestido seria em preparação para suportar com dignidade qualquer notícia que lhe viesse, talvez mesmo para comparecer a um funeral sem aviso prévio. Me perguntava também o que aconteceria se de repente suas sete filhas aparecessem na televisão, sorrindo, acenando e atirando beijos para o sr. Pirzada, do alto de uma sacada. Imaginei como ele iria ficar aliviado. Mas isso nunca aconteceu.

Nessa noite, quando guardei o ovo plástico cheio de corações de canela dentro da caixa ao lado de minha cama, não senti a satisfação cerimoniosa que normalmente sentia. Tentei não pensar no sr. Pirzada, em seu sobretudo com cheiro de limão, ligado àquele mundo convulso, sufocante, que tínhamos visto horas antes em nossa sala clara e acarpetada. E, no entanto, durante muitos momentos só consegui pensar naquilo. Sentia um nó no estômago pensando se a mulher e as sete filhas dele eram agora membros daquela multidão clamorosa e perdida que aparecera em flashes na tela. Num esforço para eliminar a imagem, olhei ao redor de meu quarto, a cama amarela de dossel, a cortina de babados combinando, as fotos de classe emolduradas nas paredes forradas de papel branco e violeta, as anotações a lápis na porta do armário em que meu pai registrava minha altura a cada aniversário. Mas, quanto mais eu tentava me distrair, mais começava a me convencer de que a família do sr. Pirzada muito provavelmente estava morta. Por fim, peguei um quadrado de chocolate branco da caixa, desembrulhei e fiz uma coisa que nunca tinha feito antes. Pus o chocolate na boca, deixei que amolecesse até o último momento possível e então mastiguei devagar, rezando para a família do sr. Pirzada estar sã e salva. Eu nunca havia rezado por nada antes, nunca tinha aprendido nem sido orientada a rezar, mas resolvi, diante das circunstâncias, que era o que devia fazer. Essa noite, quando fui ao banheiro, só fingi escovar os dentes, por medo de remover a oração também. Molhei a escova e arrumei o tubo de pasta de dentes para meus pais não fazerem perguntas e dormi com o açúcar na língua.

Ninguém na escola comentou a guerra acompanhada tão fielmente na minha sala de estar. Continuamos a estudar a Revolução Americana e aprendemos sobre a injustiça dos impostos sem representação e memorizamos passagens da Declaração de Independência. Durante o intervalo, os meninos se dividiram em dois grupos, um perseguindo loucamente o outro em torno dos balanços e gangorras, Casacos Vermelhos contra as colônias. Na classe, nossa professora, a sra. Kenyon, apontava com frequência um mapa que descia como uma tela de cinema por cima do quadro-negro, mostrando a rota do

Mayflower, ou mostrando a localização do Sino da Liberdade. Toda semana, dois alunos da classe faziam um relatório sobre um aspecto específico da Revolução e então, um dia, fui mandada à biblioteca da escola com minha amiga Dora para pesquisar sobre a rendição em Yorktown. A sra. Kenyon me entregou um papel com o nome de três livros para procurar no catálogo de fichas. Logo encontramos os livros e sentamos a uma mesa redonda baixa para ler e tomar notas. Mas eu não conseguia me concentrar. Voltei às estantes de madeira clara, a um setor que eu tinha notado, com a identificação de "Ásia". Vi livros sobre a China, a Índia, a Indonésia, a Coreia. Por fim, encontrei um intitulado *Paquistão: uma terra e seu povo*. Sentei num banquinho e abri o livro. A sobrecapa estalou em meus dedos. Comecei a virar as páginas, cheias de fotos de rios, campos de arroz, homens fardados. Havia um capítulo sobre Daca e comecei a ler sobre as chuvas e a produção de juta. Estava estudando a tabela populacional quando Dora apareceu no corredor.

— O que você está fazendo aí? A senhora Kenyon está na biblioteca. Veio ver a gente.

Fechei o livro com ruído demais. A sra. Kenyon apareceu, o aroma de seu perfume dominando o corredor minúsculo, e ergueu o livro pela lombada como se fosse um fio de cabelo no meu suéter. Olhou a capa, depois para mim.

— Este livro faz parte do relatório, Lilia?

— Não, senhora.

— Então, não vejo razão para você estar consultando isto — disse, recolocando-o no espaço da estante. — Você vê?

Com o passar das semanas, foi ficando cada vez mais raro ver imagens de Daca no noticiário. A reportagem vinha depois do primeiro intervalo comercial, às vezes do segundo. A imprensa tinha sido censurada, removida, restringida, redirecionada. Alguns dias, muitos dias, só anunciavam o número de mortos, precedido por uma reiteração da situação geral. Mais poetas foram executados, mais aldeias incendiadas. Apesar de tudo, noite após noite, meus pais e o sr. Pirzada faziam longas e demoradas refeições. Depois que a televisão era desligada, os pratos lavados e secos, eles brincavam, contavam histórias, molhavam biscoitos no chá. Quando se cansavam de discutir política, discutiam os progressos do livro do sr. Pirzada sobre as árvores decíduas da Nova Inglaterra, a estabilidade no emprego de meu pai, os hábitos alimentares estranhos das colegas americanas de minha mãe no banco. Por fim, me mandavam subir para fazer a lição de casa, mas através do carpete eu ouvia que tomavam mais chá e escutavam fitas cassete de Kishore Kumar, jogavam palavras cruzadas na mesinha de centro, rindo e discutindo até tarde da noite a grafia de palavras em inglês. Eu queria ficar com eles, queria, acima de tudo, consolar o sr. Pirzada de alguma forma. Mas, além de comer um pedaço de doce pela família dele e rezar por sua segurança, eu não podia fazer nada. Eles jogavam palavras cruzadas até o noticiário das onze horas e depois, às vezes por volta da meia-noite, o sr. Pirzada voltava a pé para seu alojamento. Por isso eu nunca via quando ele ia embora, mas toda noite, quando deslizava para o sono, eu os ouvia na expectativa do nascimento de uma nação do outro lado do mundo.

Um dia, em outubro, o sr. Pirzada perguntou logo ao chegar:

— O que são esses legumes grandes cor de laranja nos degraus de entrada das pessoas? Uma espécie de moranga.

— São abóboras — minha mãe respondeu. — Lilia, me lembre de comprar uma no supermercado.

— E para que isso? Indica o quê?

— Para fazer uma lanterna de careta — eu disse, abrindo um sorriso feroz. — Assim. Para assustar as pessoas.

— Sei — o sr. Pirzada respondeu, sorrindo de volta. — Muito útil.

No dia seguinte minha mãe comprou uma abóbora de cinco quilos, gorda, redonda, e colocou na mesa de jantar. Antes da refeição, enquanto meu pai e o sr. Pirzada assistiam ao noticiário local, ela me mandou decorar a abóbora com pincéis atômicos, mas eu queria recortar direito, como tinha visto outras no bairro.

— É, vamos cortar — o sr. Pirzada concordou, e levantou-se do sofá. — Suspendemos as notícias hoje. — Sem fazer perguntas, ele entrou na cozinha, abriu uma gaveta e voltou com uma longa faca serrilhada. Olhou para mim em busca de aprovação. — Devo?

Fiz que sim. Era a primeira vez que nos reuníamos todos em torno da mesa de jantar, minha mãe, meu pai, o sr. Pirzada e eu. Enquanto a televisão transmitia para ninguém, cobrimos a mesa com jornais. O sr. Pirzada pôs o paletó no encosto da cadeira atrás dele, tirou um par de punhos de opala e arregaçou as mangas engomadas da camisa.

— Primeiro, tem de cortar em volta da parte de cima — ensinei, mostrando com o indicador.

Ele fez um corte inicial e circundou com a faca. Quando terminou o círculo, ergueu a tampa pelo caule. Saiu sem esforço, e o sr. Pirzada se inclinou sobre a abóbora por um momento, para inspecionar e sentir o cheiro do conteúdo. Minha mãe deu a ele uma colher de metal de cabo comprido com a qual ele esvaziou o interior até remover os últimos fios e sementes. Enquanto isso, meu pai separava as sementes da polpa e punha para secar numa toalha de papel, para poder assá-las mais tarde. Na superfície sulcada, desenhei dois triângulos para os olhos, que o sr. Pirzada recortou aplicadamente em duas meias-luas como sobrancelhas, e outro triângulo para o nariz. Só faltava a boca, e os dentes eram um desafio. Hesitei.

— Sorrindo ou triste? — perguntei.

— Você escolhe — disse o sr. Pirzada.

Como concessão, desenhei uma espécie de careta, de um lado a outro, nem triste, nem sorridente. O sr. Pirzada começou a cortar, sem um mínimo de intimidação, como se esculpisse abóboras a vida inteira. Estava quase acabando quando começou o noticiário nacional. O repórter mencionou Daca e nós todos nos viramos para ouvir: uma autoridade indiana anunciou que, a menos que o mundo ajudasse a aliviar o sofrimento dos refugiados do Paquistão Oriental, a Índia teria de entrar em guerra contra o Paquistão. O rosto do repórter pingava suor enquanto ele passava as informações. Não estava de terno e gravata, mas vestido como se ele mesmo fosse participar da batalha. Protegia o rosto queimado com as mãos enquanto gritava as coisas para a câmera. A faca escorregou da mão do sr. Pirzada e fez um corte na direção da base da abóbora.

— Por favor, desculpe. — Ele ergueu a mão para o lado do rosto, como se tivesse levado uma bofetada de alguém. — Eu... que horror. Eu compro outra. A gente tenta de novo.

— Nada disso, nada disso — meu pai falou. Ele tirou a faca do sr. Pirzada e cortou em torno do corte, nivelando tudo, dispensando de uma vez os dentes que eu tinha desenhado. O resultado foi um buraco desproporcional, do tamanho de um limão, de forma que a lanterna de abóbora ficou com uma expressão de plácida perplexidade, as sobrancelhas não mais ferozes flutuando em congelada surpresa acima de um olhar vazio, geométrico.

No Halloween eu era uma bruxa. Dora, minha parceira de "doces ou travessuras", também era bruxa. Usamos capas pretas feitas com fronhas tingidas e chapéus cônicos com abas largas de papelão. Pintamos o rosto de verde com uma sombra de olhos quebrada que era da mãe de Dora, e para recolher os doces minha mãe nos deu dois sacos de aniagem que um dia contiveram arroz basmati. Nesse ano, nossos pais resolveram que tínhamos idade suficiente para circular pelo bairro desacompanhadas. Nosso plano era andar da minha casa à de Dora; a mãe dela me levaria de carro de volta. Meu pai nos equipou com lanternas e tive de usar um relógio sincronizado com o dele. Não podíamos voltar depois das nove horas.

Quando o sr. Pirzada chegou essa noite, me deu de presente uma caixa de chocolate com menta.

— Aqui dentro — eu disse, e abri o saco de aniagem. — "Doces ou travessuras"?

— Pelo que vejo você não precisa de fato da minha contribuição hoje — disse ele, depositando a caixa. Olhou meu rosto verde e o chapéu preso com um cordão debaixo do queixo. Hesitante, ergueu a barra de minha capa, debaixo da qual eu estava com um suéter e uma jaqueta felpuda fechada com zíper. — Vai estar bem agasalhada?

Fiz que sim e o chapéu sacudiu para um lado.

Ele o arrumou.

— Talvez seja melhor ficar quieta.

O piso diante da escada estava coberto com cestos de doces em miniatura e, quando o sr. Pirzada tirou os sapatos, não os deixou no lugar onde sempre deixava, mas sim dentro do armário. Ele começou a desabotoar o casaco e esperei para pegar da mão dele, mas Dora me chamou do banheiro para dizer que precisava de ajuda para pintar uma verruga em seu queixo. Quando finalmente estávamos prontas, minha mãe tirou uma foto nossa na frente da lareira e eu abri a porta para sair. O sr. Pirzada e meu pai, que ainda não tinha entrado na sala, rondavam o corredor. Lá fora já estava escuro. O ar tinha cheiro de folha molhada e nossa lanterna de abóbora bruxuleava de um jeito impressionante diante do arbusto ao lado da porta. De longe, vinha o som de pés caminhando e os uivos dos meninos mais velhos que não usavam fantasia nenhuma além de máscaras de borracha e o farfalhar das roupas das crianças mais novas, algumas tão pequenas que tinham de ser carregadas de porta em porta no colo dos pais.

— Não entre em nenhuma casa que não conheça — meu pai alertou.

O sr. Pirzada franziu as sobrancelhas.

— Tem algum perigo?

— Não, não — minha mãe garantiu. — Todas as crianças vão estar na rua. É uma tradição.

— Talvez a gente devesse acompanhar as duas — o sr. Pirzada sugeriu. De repente, ele parecia cansado e pequeno, parado ali com os pés vestidos de meias, virados para fora, e em seus olhos um pânico que eu nunca tinha visto antes. Apesar do frio, comecei a suar dentro da minha fronha.

— Realmente, senhor Pirzada — disse minha mãe —, Lilia vai estar bem segura com a amiga dela.

— Mas e se chover? Elas vão se perder?

— Não se preocupe — eu disse. Era a primeira vez que eu pronunciava essas palavras para o sr. Pirzada, três palavras simples que eu havia tentado, mas não conseguira dizer a ele havia semanas, dizendo apenas em minhas orações. Naquele momento, fiquei envergonhada de tê-las dito por minha causa.

Ele tocou minha bochecha com um dedo grosso, depois apertou nas costas da própria mão, deixando uma ligeira mancha verde.

— Se a mocinha insiste — ele concordou e fez uma pequena reverência.

Saímos, tropeçando um pouco com nossos sapatos pontudos de loja de bugigangas e, quando viramos no fim da entrada para acenar, o sr. Pirzada estava parado na porta, uma figura baixa entre meus pais, acenando de volta.

— Por que aquele homem queria sair com a gente? — Dora perguntou.

— Ele não sabe das filhas dele. — Assim que eu disse isso, desejei não ter dito. Senti que, ao dizer, aquilo se tornava verdade, que as filhas do sr. Pirzada realmente haviam desaparecido e que ele nunca mais as veria de novo.

— Quer dizer que elas foram sequestradas? — Dora perguntou. — De um parque, de algum lugar?

— Não foi isso que eu quis dizer, ele está com saudade delas. Elas moram em outro país e ele não vê as filhas faz muito tempo, só isso.

Fomos de casa em casa, entrando pelos jardins e apertando campainhas. Algumas pessoas tinham apagado todas as luzes para fazer mais efeito, ou pendurado morcegos de borracha nas janelas. Na casa dos McIntyre havia um caixão de defunto na frente da porta e o sr. McIntyre se levantou de dentro dele em silêncio, o rosto pintado com giz, para despejar um punhado de balas em nossos sacos. Várias pessoas me disseram que nunca tinham visto uma bruxa indiana. Outras faziam a transação sem comentários. Seguindo nosso caminho com os fachos paralelos de nossas lanternas, vimos ovos quebrados no meio da rua, carros cobertos com espuma de barbear, papel higiênico fazendo guirlandas nos galhos das árvores. Quando chegamos à casa de Dora estávamos com as mãos esfoladas por carregar os sacos de aniagem cheios e os pés doloridos e inchados. A mãe dela nos deu bandagens para os machucados e nos serviu cidra quente e pipoca caramelada. Ela me lembrou de telefonar a meus pais para contar que tínhamos chegado em segurança, e quando liguei dava para ouvir a televisão ao fundo. Minha mãe não pareceu especialmente aliviada de saber de mim. Quando desliguei o telefone, me ocorreu que na casa de Dora a televisão não estava ligada. O pai dela estava deitado no sofá, lendo uma revista, com um copo de vinho na mesinha de centro, e havia música de saxofone tocando no estéreo.

Quando Dora e eu arrumamos nossa coleta, contamos, experimentamos e trocamos até ficarmos satisfeitas, a mãe dela me levou de volta para casa. Agradeci a carona e ela ficou esperando na entrada até eu chegar à porta. À luz dos faróis vi que nossa abóbora tinha sido despedaçada, a casca grossa espalhada aos pedaços pelo gramado. Senti os olhos picarem com as lágrimas e uma dor súbita na garganta, como se estivesse cheia de pedrinhas que trituravam cada passo de meus pés doloridos. Abri a porta, achando que os três estariam parados no corredor, esperando para me receber, e lamentar a abóbora destruída, mas não havia ninguém. Na sala, o sr. Pirzada, meu pai e minha mãe estavam sentados lado a lado no sofá. A televisão desligada e o sr. Pirzada com a cabeça entre as mãos.

O que tinham ouvido essa noite e muitas noites depois dessa era que a Índia e o Paquistão estavam chegando cada vez mais perto da guerra. Tropas de ambos os lados se alinhavam na fronteira, e Daca insistia em nada menos que a independência. A guerra seria travada em solo do Paquistão Oriental. Os Estados Unidos estavam do lado do Paquistão Ocidental, a União Soviética do lado da Índia e do que logo seria Bangladesh. A guerra foi declarada oficialmente em 4 de dezembro e, doze dias depois, o Exército paquistanês, enfraquecido por ter de lutar a quase cinco mil quilômetros de sua fonte de suprimentos, se rendeu em Daca. Esses fatos todos eu só sei agora, porque estão disponíveis para mim em qualquer livro de história, em qualquer biblioteca. Mas na época eram, em sua maior parte, um mistério remoto com pistas fortuitas. O que eu me lembro daqueles doze dias de guerra é que meu pai não me pedia mais para assistir ao noticiário com eles, que o sr. Pirzada parou de me trazer doces, que minha mãe se recusava a servir qualquer outra coisa além de ovos cozidos com arroz no jantar. Me lembro de ter ajudado minha mãe a estender um lençol e um cobertor no sofá para o sr. Pirzada poder dormir ali, e de vozes agudas gritando no meio da noite quando meus pais telefonavam para nossos parentes em Calcutá para saber mais detalhes da situação. Acima de tudo, me lembro dos três agindo durante essa época como se fossem uma só pessoa, compartilhando uma única refeição, um único corpo, um único silêncio, um único medo.

Em janeiro, o sr. Pirzada voou de volta para sua casa de três andares em Daca, para descobrir o que restava dela. Não estivemos muito com ele naquelas últimas semanas do ano; ele estava ocupado terminando seu manuscrito e fomos à Filadélfia passar o Natal com amigos de meus pais. Assim como não tenho lembrança da primeira visita dele, não tenho lembrança da última. Meu pai o levou ao aeroporto uma tarde, enquanto eu estava na escola. Durante um longo tempo, não tivemos notícias dele. Nossas noites continuavam iguais, com o jantar na frente das notícias. A única diferença era que o sr. Pirzada e seu relógio extra não estavam lá para nos acompanhar. Segundo as reportagens, Daca estava se recuperando devagar, com um governo parlamentar recém-formado. O novo líder, xeique Mujib Rahman, recentemente libertado da prisão, pediu aos países material de construção para refazer mais de um milhão de casas destruídas na guerra. Refugiados incontáveis voltaram da Índia, recebidos, pelo que ficamos sabendo, com desemprego e ameaça de fome. De quando em quando, eu estudava o mapa acima da mesa de meu pai e imaginava o sr. Pirzada naquele pedacinho amarelo, transpirando intensamente, imaginava que estava usando um de seus ternos, procurando a família. Claro, o mapa estava desatualizado na época.

Finalmente, vários meses depois, recebemos um cartão do sr. Pirzada, comemorando o ano-novo muçulmano, junto com uma carta breve. Ele escreveu que havia reencontrado a esposa e as filhas. Estavam todas bem, tendo sobrevivido aos acontecimentos do ano anterior numa propriedade dos pais de sua esposa nas montanhas de Shillong. As sete filhas estavam um pouco mais altas, escreveu ele, mas continuavam as mesmas, e ele ainda não conseguia lembrar seus nomes na ordem. No fim da carta, ele agradecia nossa hospitalidade, acrescentando que, embora entendesse agora o sentido das palavras "muito obrigado", elas ainda não eram adequadas para expressar sua gratidão. Para comemorar a notícia, minha mãe preparou um jantar especial essa noite, e quando nos sentamos para comer na mesinha de centro brindamos com nossos copos de água, mas eu não me senti comemorando. Embora não o visse havia meses, só então senti a ausência do sr. Pirzada. Só então, erguendo meu copo de água em nome dele, foi que entendi como era sentir falta de alguém que estava a tantos quilômetros e horas de distância, assim como ele havia sentido falta da esposa e das filhas durante tantos meses. Ele não tinha razão para voltar a nossa casa, e meus pais previram, corretamente, que nunca mais o veríamos. Desde janeiro, toda noite, antes de ir para a cama, eu continuara a comer, em honra da família do sr. Pirzada, um pedaço de doce que tinha guardado do Halloween. Naquela noite, não houve necessidade disso. Acabei jogando os doces fora.

INTÉRPRETE DE MALES

Na barraca de chá, o sr. e a sra. Das discutiam para ver quem levava Tina ao banheiro. A sra. Das acabou cedendo quando o sr. Das observou que ele tinha dado banho na menina na noite anterior. Pelo espelho retrovisor, o sr. Kapasi viu quando a sra. Das saiu lentamente de seu grande Ambassador branco, deslizando as pernas depiladas, bastante à mostra, pelo banco de trás. Ela não segurou a mão da menininha quando se encaminharam para o banheiro.

Estavam a caminho de uma visita ao Templo do Sol, em Konarak. Era um sábado claro, seco, o calor de meados de julho temperado pela constante brisa do mar, clima ideal para fazer turismo. Normalmente, o sr. Kapasi não teria parado tão cedo no caminho, mas, menos de cinco minutos depois de pegar a família em frente ao Hotel Sandy Villa, a menininha reclamou. A primeira coisa que o sr. Kapasi notou, quando viu o sr. e a sra. Das parados com a filha debaixo do pórtico do hotel, foi que eles eram muito jovens, talvez nem tivessem trinta anos. Além de Tina, tinham dois meninos, Ronny e Bobby, que pareciam de idades muito próximas e tinham os dentes cobertos com uma rede de arames prateados cintilantes. A família parecia indiana, mas se vestia como os estrangeiros, as crianças com roupas duras, de cores berrantes, e bonés com abas transparentes. O sr. Kapasi estava acostumado com turistas estrangeiros; era escalado para atendê-los regularmente porque falava inglês. No dia anterior, tinha levado um casal de velhos da Escócia, ambos com o rosto manchado e cabelo branquinho tão fino que dava para ver o couro cabeludo queimado de sol. Em comparação, os rostos jovens e bronzeados do sr. e da sra. Das ficavam ainda mais notáveis. Quando ele se apresentou, o sr. Kapasi juntou as palmas das mãos em saudação, mas o sr. Das apertava as mãos como os americanos e o sr. Kapasi sentiu a pressão no cotovelo. A sra. Das, por sua vez, flexionara um lado da boca, sorrindo por obrigação ao sr. Kapasi, sem demonstrar nenhum interesse por ele.

Enquanto esperavam na barraca de chá, Ronny, que parecia ser o mais velho dos dois meninos, de repente saltou do banco de trás, intrigado por um bode amarrado a uma estaca fincada no chão.

— Não toque nele — disse o sr. Das. Ele olhou seu guia turístico de bolso que dizia ÍNDIA em letras amarelas e parecia ter sido editado no estrangeiro. Sua voz, um tanto hesitante e um pouco aguda, soava como se ainda não tivesse assentado na maturidade.

— Quero dar um chiclete para ele — o menino falou seguindo em frente.

O sr. Das saiu do carro e alongou as pernas se agachando brevemente. Com o rosto barbeado, parecia exatamente uma versão ampliada de Ronny. Tinha um boné com aba transparente azul-safira e usava bermuda, tênis e camiseta. A câmera pendurada no pescoço, com uma impressionante teleobjetiva e muitos botões e marcadores, era a única coisa elaborada que usava. Ele franziu a testa observando Ronny correr até o bode, mas parecia não ter a intenção de interferir.

— Bobby, cuide para seu irmão não fazer nenhuma besteira.

— Não estou a fim — Bobby disse, sem se mexer. Estava sentado no banco da frente, ao lado do sr. Kapasi, e estudava a figura de um deus elefante pregada com fita no porta-luvas.

— Não precisa se preocupar — disse o sr. Kapasi. — Eles são bem mansos.

O sr. Kapasi tinha quarenta e seis anos, o cabelo que rareava era completamente grisalho, mas a pele cor de caramelo e a testa sem rugas, que ele tratava quando tinha tempo com toques de bálsamo de óleo de lótus, permitiam imaginar com facilidade como ele devia ser quando mais jovem. Usava calça cinza e uma camisa safári combinando, amarrada na cintura, de mangas curtas e grandes colarinhos pontudos, feita de um tecido sintético fino, mas durável. Ele havia especificado tanto o corte quanto o tecido ao alfaiate — era seu uniforme preferido quando fazia essas excursões, porque não amassava nas longas horas à direção. Através do para-brisa, viu Ronny circundar o bode, tocar rapidamente o lado do animal e trotar de volta para o carro.

— O senhor saiu da Índia quando criança? — o sr. Kapasi perguntou ao sr. Das quando ele se acomodou de volta no banco do passageiro.

— Ah, Mina e eu nascemos nos Estados Unidos — o sr. Das anunciou com um ar de súbita segurança. — Nascidos e criados. Nossos pais moram aqui agora. Se aposentaram. A gente vem visitá-los de dois em dois anos. — Ele se voltou para ver a menininha vir correndo para o carro, os grandes laços roxos do vestido de verão batendo nos ombros estreitos e morenos. Segurava ao peito uma boneca de cabelo amarelo que parecia ter sido cortado como medida punitiva, com uma tesoura sem corte. — É a primeira vez que a Tina vem para a Índia, não é, Tina?

— Não preciso mais ir no banheiro — Tina anunciou.

— Cadê a Mina? — o sr. Das perguntou.

O sr. Kapasi achou estranho o sr. Das se referir à esposa pelo primeiro nome ao falar com a menina. Tina apontou para o lugar onde a sra. Das estava comprando alguma coisa de um dos homens sem camisa que trabalhavam na barraca de chá. O sr. Kapasi ouviu um dos homens sem camisa entoar um verso de uma popular canção amorosa hindi enquanto a sra. Das voltava para o carro, mas ela pareceu não entender a letra da canção, porque não expressou irritação, nem embaraço, nem reagiu de forma alguma às declarações do homem.

Ele a observou. Usava saia xadrez branca e vermelha que ficava acima dos joelhos, sandália com salto quadrado de madeira e uma blusa justa que parecia uma camiseta masculina. A blusa tinha no peito um enfeite de algodão estampado em forma de morango. Era uma mulher baixa, de mãos pequenas como patas, unhas pintadas de rosa para combinar com os lábios e ligeiramente cheinha de corpo. O cabelo, pouco mais comprido que o do marido, era repartido de lado. Usava grandes óculos escuros marrons com um tom rosado e uma bolsa grande de palha, quase tão grande quanto seu tórax, em forma de tigela, com uma garrafa d'água aparecendo na abertura. Andava devagar, levando uma porção de pipoca de arroz temperada com amendoim e pimenta chili num grande cone de jornal. O sr. Kapasi olhou para o sr. Das.

— Onde os senhores moram na América?

— Em New Brunswick, Nova Jersey.

— Perto de Nova York?

— Exatamente. Eu sou professor do ensino médio lá.

— Que matéria?

— Ciências. Para falar a verdade, todo ano eu levo meus alunos a uma excursão ao Museu de História Natural de Nova York. De certa forma, nós dois temos muito em comum, o senhor e eu. Quanto tempo faz que o senhor é guia turístico, senhor Kapasi?

— Cinco anos.

A sra. Das chegou ao carro.

— Quanto tempo dura a viagem? — ela perguntou.

— Umas duas horas e meia — o sr. Kapasi respondeu.

Diante disso, a sra. Das deu um suspiro impaciente, como se estivesse viajando a vida inteira sem parar. Abanou-se com uma revista de cinema de Bombaim escrita em inglês, que dobrou em duas.

— Achei que o Templo do Sol ficava menos de trinta quilômetros ao norte de Puri — disse o sr. Das, batendo o dedo no guia turístico.

— As estradas em Konarak são ruins. Na verdade, a distância é de mais de oitenta quilômetros — o sr. Kapasi explicou.

O sr. Das balançou a cabeça, reajustando a alça da câmera que começara a incomodar seu pescoço.

Antes de dar a partida, o sr. Kapasi virou para trás para se certificar de que as travas das duas portas traseiras estavam fechadas. Assim que o carro começou a rodar, a menina começou a brincar com a trava do seu lado, mexendo para a frente e para trás com algum esforço, mas a sra. Das não disse nada para impedi-la. Estava sentada um tanto relaxada num extremo do banco traseiro, sem oferecer a pipoca de arroz a ninguém. Ronny e Tina, um de cada lado dela, faziam bolas verdes de chiclete.

— Olhe — Bobby disse quando o carro começou a ganhar velocidade. Apontou com o dedo para as altas árvores que ladeavam a estrada. — Olhe.

— Macacos! — Ronny gritou. — Nossa!

Estavam sentados em grupos ao longo dos galhos, com caras pretas brilhantes, corpos prateados, sobrancelhas horizontais e topetes na cabeça. As longas caudas cinzentas penduradas como uma série de cordas entre as folhas. Alguns se coçavam com as mãos pretas coriáceas, ou balançavam os pés, olhando o carro passar.

— Nós chamamos esses macacos de *hanuman* — disse o sr. Kapasi. — São bem comuns nesta região.

Assim que ele falou, um dos macacos saltou para o meio da estrada, fazendo com que o sr. Kapasi freasse de repente. Outro saltou em cima do capô do carro, depois foi embora. O sr. Kapasi tocou a buzina. As crianças começaram a ficar excitadas, respirando com ruído e cobrindo parcialmente o rosto com as mãos. Nunca tinham visto macacos fora do zoológico, explicou o sr. Das. Ele pediu ao sr. Kapasi que parasse o carro para tirar uma foto.

Enquanto o sr. Das focava sua teleobjetiva, a sra. Das pegou dentro da bolsa de palha um vidro de esmalte incolor que passou a aplicar na ponta do dedo indicador.

A menininha estendeu uma mão.

— Na minha também, mamãe, passa na minha também.

— Não me amole — disse a sra. Das, soprando a unha e virando ligeiramente o corpo. — Está me fazendo borrar.

A menininha se ocupou abotoando e desabotoando o avental do corpo da boneca de plástico.

— Pronto — disse o sr. Das recolocando a tampa da lente.

O carro sacudiu bastante ao correr pela estrada empoeirada, fazendo com que todos saltassem nos bancos de quando em quando, mas a sra. Das continuava cuidando das unhas. O sr. Kapasi pisou menos no acelerador, na esperança de produzir uma viagem mais tranquila. Quando ia pegar o câmbio, o menino do banco da frente afastava os joelhos sem pelos. O sr. Kapasi notou que aquele menino era ligeiramente mais pálido que as outras crianças.

— Papai, por que o motorista está sentado do lado errado do carro? — o menino perguntou.

— Aqui é assim, tonto — disse Ronny.

— Não chame seu irmão de tonto — disse o sr. Das. Voltou-se para o sr. Kapasi: — Nos Estados Unidos, o senhor sabe... eles ficam confusos.

— Ah, sei muito bem, claro — disse o sr. Kapasi. Voltou a mudar a marcha, o mais delicadamente possível, acelerando ao chegarem a um aclive da estrada. — Eu vi em *Dallas*, a direção do lado esquerdo.

— O que é *Dallas*? — Tina perguntou, batendo a boneca agora nua no encosto do banco do sr. Kapasi.

— Não está mais passando — explicou o sr. Das —, é uma série de televisão.

Pareciam todos irmãos, o sr. Kapasi pensou ao passarem por uma fileira de tamareiras. O sr. e a sra. Das se comportavam como irmão e irmã mais velhos, não como pais. Parecia que estavam encarregados das crianças por aquele dia; era difícil acreditar que fossem regularmente responsáveis por qualquer coisa além de si mesmos. O sr. Das batucava na tampa da lente, no guia turístico, às vezes deslizava a unha do polegar pelas páginas, fazendo um som raspado. A sra. Das continuava cuidando das unhas. Não tinha tirado os óculos escuros. De vez em quando, Tina voltava a pedir que a mãe pintasse suas unhas também, e então a sra. Das colocou uma gota de esmalte no dedo da menininha, e guardou o vidro de volta na bolsa de palha.

— Este carro não tem ar-condicionado? — ela perguntou, ainda soprando a mão. A janela do lado de Tina estava quebrada e não dava para baixar o vidro.

— Pare de reclamar — disse o sr. Das. — Não está tão quente.

— Eu falei para você pegar um carro com ar-condicionado — a sra. Das continuou. — Por que você faz isso, Raj, só para economizar umas porcarias de umas rupias? Está economizando o quê? Cinquenta centavos?

O sotaque deles era igualzinho ao que o sr. Kapasi ouvia nos programas americanos da televisão, mas não como o sotaque de *Dallas*.

— Não é cansativo, senhor Kapasi, mostrar todo dia as mesmas coisas para as pessoas? — perguntou o sr. Das, abaixando até o fim o vidro da janela. — Ei, pare o carro. Quero tirar uma foto desse cara.

O sr. Kapasi estacionou no acostamento para o sr. Das fotografar um homem descalço, a cabeça enrolada num turbante sujo, sentado em cima de uma carroça de sacos de cereal puxada por uma junta de bois. Tanto o homem como os bois eram magérrimos. No banco de trás, pela outra janela, a sra. Das olhava o céu com nuvens quase transparentes passando depressa umas na frente das outras.

— Para falar a verdade, estou gostando de ir lá — disse o sr. Kapasi quando retomaram a viagem. — O Templo do Sol é um dos meus lugares preferidos. Nesse sentido, é um prêmio para mim.

Só faço turismo aos sábados e domingos. Tenho outro emprego durante a semana.

— Ah? Onde? — o sr. Das perguntou.

— Num consultório médico.

— O senhor é médico?

— Não. Trabalho com um. Sou intérprete.

— E por que um médico precisa de intérprete?

— Ele tem uma porção de pacientes gujaráti. Meu pai era gujaráti, mas muita gente não fala gujaráti por aqui, inclusive o médico. Então ele me convidou para trabalhar em seu consultório como intérprete dos pacientes.

— Interessante. Nunca ouvi falar disso — disse o sr. Das.

O sr. Kapasi encolheu os ombros.

— É um trabalho como outro qualquer.

— Mas tão romântico — disse a sra. Das, sonhadora, quebrando um silêncio prolongado. Ela levantou os óculos marrom-rosados e os ajeitou no alto da cabeça como uma tiara. Pela primeira vez, seus olhos encontraram os do sr. Kapasi no espelho retrovisor: pálidos, ligeiramente pequenos, seu olhar era fixo, mas sonolento.

O sr. Das se esticou para olhar para ela.

— O que tem de tão romântico?

— Não sei. Alguma coisa. — Ela deu de ombros, franzindo as sobrancelhas por um momento. — Aceita um chiclete, senhor Kapasi? — perguntou, animada. Procurou na bolsa e estendeu para ele um quadradinho embrulhado em papel listrado de verde e branco. Assim que o sr. Kapasi pôs o chiclete na boca, um líquido grosso e doce explodiu em sua língua.

— Conte mais do seu trabalho, senhor Kapasi — disse a sra. Das.

— O que a senhora gostaria de saber?

— Não sei — ela encolheu os ombros de novo, mastigando as pipocas de arroz e lambendo o óleo de mostarda dos cantos da boca. — Fale de uma situação típica. — Ela se encostou no banco, a cabeça inclinada numa mancha de sol, e fechou os olhos. — Quero uma imagem do que acontece.

— Tudo bem. Outro dia, chegou um homem com dor de garganta.

— Ele fumava?

— Não. Foi muito curioso. Ele reclamou que parecia ter uns pedaços de palha compridos na garganta. Quando falei isso para o doutor, ele receitou o remédio apropriado.

— Que bom.

— É — o sr. Kapasi concordou depois de alguma hesitação.

— Então esses pacientes são totalmente dependentes do senhor — disse a sra. Das. Ela falou devagar, como se estivesse pensando alto. — De certa forma, mais dependentes do senhor que do médico.

— Como assim? Como pode ser?

— Bom, por exemplo, o senhor podia dizer para o médico que a dor era mais uma queimação do que uma palha. O paciente nunca ia saber o que o senhor disse para o médico e o médico nunca ia saber que o senhor tinha falado errado. É uma grande responsabilidade.

— É, é uma grande responsabilidade que o senhor tem, senhor Kapasi — concordou o sr. Das.

O sr. Kapasi nunca tinha pensado em seu trabalho em termos tão elogiosos. Para ele era uma ocupação não gratificante. Não achava nada nobre interpretar os males dos outros, traduzindo assiduamente os sintomas de tantos ossos inchados, incontáveis cólicas abdominais e intestinais, manchas nas palmas das mãos que mudavam de cor, de forma, de tamanho. O médico, com quase metade de sua idade, era chegado a calças boca de sino e fazia piadas sem graça sobre o partido do Congresso. Juntos trabalhavam numa abafada enfermariazinha onde as roupas bem cortadas do sr. Kapasi grudavam no corpo com o calor, apesar das lâminas enegrecidas do ventilador de teto roncando acima de suas cabeças.

O trabalho era um símbolo de seus fracassos. Na juventude, ele tinha sido um dedicado estudioso de línguas estrangeiras, dono de uma impressionante coleção de dicionários. Sonhara em ser intérprete de diplomatas e dignitários, resolvendo conflitos entre povos e nações, assentando disputas nas quais só ele conseguiria entender os dois lados. Era um autodidata. Numa série de cadernos, à noite, antes de seus pais arranjarem seu casamento, ele listara a etimologia comum de palavras e a certa altura da vida confiara que era capaz de conversar, se tivesse a oportunidade, em inglês, francês, russo, português e italiano, sem falar de hindi, bengali, oriá e gujaráti. Agora apenas um punhado de frases europeias continuava em sua memória, palavras esparsas para coisas como pires e cadeira. Inglês era a única língua não indiana que ele continuava falando fluentemente. O sr. Kapasi sabia que não era um talento notável. Às vezes, temia que seus filhos soubessem mais inglês do que ele, só por assistirem à televisão. Mesmo assim, a língua era útil para o turismo.

Ele passara a trabalhar como intérprete depois que seu primeiro filho, aos sete anos, contraiu tifo — foi assim que ficou conhecendo o médico. Na época, o sr. Kapasi lecionava inglês no ensino fundamental e alternava com a atividade de intérprete para pagar as despesas médicas, cada vez mais exorbitantes. O menino, por fim, morreu nos braços da mãe uma noite, os membros ardendo em febre, mas aí foi preciso pagar o enterro, logo nasceram outros filhos, a casa nova, maior, boas escolas e professores particulares, sapatos bons, televisão, outras maneiras incontáveis de tentar consolar a esposa e impedir que chorasse no sono, de forma que, quando o médico ofereceu pagar o dobro do que ele ganhava na escola, o sr. Kapasi aceitou. Sabia que a esposa tinha pouca consideração por seu trabalho de intérprete. Sabia que a fazia lembrar do filho que perdera e ela se ressentia das outras vidas que ele ajudava a salvar, em sua miudez. Se ela alguma vez mencionava seu trabalho, usava a expressão "assistente de médico", como se o ato de traduzir correspondesse a tirar a temperatura de alguém ou trocar um urinol. Ela nunca perguntara a ele sobre os pacientes que iam ao consultório, nem dissera que seu trabalho era de grande responsabilidade.

Por isso o sr. Kapasi se sentiu muito lisonjeado quando a sra. Das ficou tão intrigada com seu trabalho. Ao contrário da esposa, ela o fez lembrar de seus desafios intelectuais. Tinha usado a palavra "romântico". Não tinha um comportamento romântico com o marido, mas usara essa palavra para descrevê-lo. Perguntou a si mesmo se o sr. e a sra. Das não eram um bom casal, igual a ele e a esposa. Talvez eles também tivessem pouco em comum além dos três filhos e da década de suas vidas. Os indícios que ele identificava em seu próprio casamento estavam ali: a implicância, a indiferença, os silêncios prolongados. O súbito interesse dela por ele, um interesse que ela não expressava nem pelo marido nem pelos filhos, era ligeiramente embriagador. Quando o sr. Kapasi pensou mais uma vez em como ela havia dito "romântico", sentiu a embriaguez aumentar.

Começou a conferir o reflexo no retrovisor ao dirigir, contente de ter escolhido o terno cinza essa manhã e não o marrom, que tendia a ficar um pouco empapuçado nos joelhos. De quando em quando, espiava a sra. Das pelo espelho. Além de olhar seu rosto, olhava o morango entre seus seios, a cavidade escura e dourada na base do pescoço. Resolveu contar para a sra. Das sobre outro paciente, e mais outro: a moça que havia reclamado de uma sensação de chuva na coluna, o cavalheiro cuja marca de nascença começara a criar pelos. A sra. Das ouviu atenta, alisando o cabelo com uma pequena escova plástica que parecia uma cama de pregos oval, fazendo mais perguntas, pedindo mais exemplos. As crianças estavam sossegadas, procurando mais macacos nas árvores, e o sr. Das absorto em seu guia turístico, de forma que o contato entre o sr. Kapasi e a sra. Das parecia uma conversa particular. Passou assim a meia hora seguinte e, quando pararam para almoçar num restaurante de beira de estrada que vendia bolinhos fritos e sanduíches de omelete, algo que o sr. Kapasi geralmente esperava com ansiedade em suas excursões porque podia sentar em paz e tomar um chá quente, ele ficou decepcionado. Como a família Das se acomodou debaixo de um guarda-sol magenta com franjas brancas e alaranjadas e fez o pedido a um dos garçons que circulavam com chapéus de três pontas, o sr. Kapasi se encaminhou, relutante, para uma mesa vizinha.

— Espere, senhor Kapasi. Tem lugar aqui — a sra. Das falou. Ela pôs Tina no colo e insistiu que se sentasse com eles. Assim, juntos, tomaram suco de manga engarrafado, comeram sanduíches e um prato de cebola e batata empanadas com farinha e fritas. Depois de comer dois sanduíches de omelete, o sr. Das tirou fotos do grupo enquanto comia.

— Quanto tempo mais? — perguntou ao sr. Kapasi enquanto trocava o rolo de filme da câmera.

— Uma meia hora mais.

A essa altura, as crianças tinham saído da mesa para olhar mais macacos empoleirados numa árvore próxima, de forma que havia um espaço considerável entre a sra. Das e o sr. Kapasi. O sr. Das levou a câmera ao rosto e fechou um olho, a ponta da língua aparecendo num canto da boca.

— Está esquisito. Mina, chegue mais perto do sr. Kapasi.

Ela chegou. Ele sentiu o cheiro da pele dela, como uma mistura de uísque e água de rosas. De repente, pensou que ela podia sentir seu cheiro de suor, que ele sabia estar se formando debaixo do tecido sintético da camisa. Ele tragou o suco de manga num gole só e ajeitou o cabelo grisalho com as mãos. Uma gota de suco caiu em seu queixo. Ele se perguntou se a sra. Das notou.

Ela não notou.

— Qual é o seu endereço, sr. Kapasi? — ela perguntou, procurando alguma coisa na bolsa de palha.

— A senhora quer meu endereço?

— Para mandar cópias — disse ela. — Das fotos. — Ela entregou a ele um pedaço de papel que havia rasgado apressada de uma página da revista de cinema. A parte em branco era limitada, uma vez que na tira estreita havia linhas de texto e uma fotinho de um herói e uma heroína se abraçando debaixo de um eucalipto.

O papel ficou ondulado quando o sr. Kapasi escreveu seu endereço em letras claras, cuidadosas. Ela escreveria a ele, perguntando sobre seus dias de intérprete no consultório do doutor, e ele responderia eloquentemente, escolhendo os episódios mais divertidos, os que a fariam rir alto ao lê-los em sua casa em Nova Jersey. Com o tempo, ela revelaria sua decepção com o casamento, e ele a dele. Dessa forma, a amizade iria crescer e florescer. Ele teria uma foto dos dois comendo cebolas fritas debaixo do guarda-sol magenta, que ele guardaria, decidiu, bem escondida entre as páginas de sua gramática russa. Enquanto sua cabeça disparava, o sr. Kapasi experimentou um ligeiro e agradável choque. Era semelhante à sensação que costumava ter muito tempo antes quando, depois de meses traduzindo com a ajuda de um dicionário, ele finalmente lia uma passagem de um romance francês, ou de um soneto italiano, e entendia todas as palavras, uma depois da outra, sem nenhum esforço. Nesses momentos, o sr. Kapasi costumava acreditar que estava tudo certo no mundo, que todas as lutas eram recompensadas, que todos os erros da vida no final fariam sentido. A promessa que ouviu da sra. Das o encheu dessa mesma convicção.

Quando terminou de escrever o endereço, o sr. Kapasi entregou a ela o papel, mas, assim que o fez, temeu ter escrito errado seu nome, ou invertido acidentalmente os números do código postal. Lamentava a possibilidade de uma carta perdida, de uma fotografia que nunca chegasse a ele, vagando em algum lugar de Orissa, perto, mas absolutamente inatingível. Pensou em pedir de volta o pedaço de papel, para se certificar de ter escrito o endereço direito, mas a sra. Das já o havia jogado na confusão da bolsa.

***

Chegaram a Konarak às duas e meia. O templo, feito de arenito, era uma estrutura piramidal maciça na forma de carruagem. Era dedicado ao grande senhor da vida, o Sol, que banhava três lados do edifício ao fazer sua jornada diária pelo céu. Havia vinte e quatro rodas enormes esculpidas nos lados norte e sul do plinto. A coisa toda era puxada por uma junta de sete cavalos, correndo como se fosse pelo céu. Ao se aproximarem, o sr. Kapasi explicou que o templo havia sido construído entre 1243 e 1255 da nossa era, com o trabalho de mil e duzentos artesãos, pelo grande senhor da dinastia ganga, rei Narasimhadeva, o Primeiro, para comemorar sua vitória contra o Exército muçulmano.

— Aqui diz que o templo ocupa cento e setenta acres de terra — disse o sr. Das consultando o guia.

— É igual a um deserto — disse Ronny, os olhos vagando pela areia que circundava o templo em toda a volta.

— Antigamente, o rio Chandrabhaga corria um quilômetro e meio ao norte daqui. Está seco agora — disse o sr. Kapasi desligando o motor.

Desceram e foram até o templo, posando primeiro para fotos junto à dupla de leões de cada lado da escada. Em seguida, o sr. Kapasi os levou até uma das rodas da carruagem, mais alta que qualquer ser humano, com três metros de diâmetro.

— As rodas simbolizam a roda da vida — o sr. Das leu. — Mostram o ciclo de criação, preservação e realização. Bacana. — Ele virou a página do livro. — Cada roda é dividida em oito raios grossos e finos, que dividem o dia em oito partes iguais. As bordas são entalhadas com figuras de pássaros e animais, enquanto os medalhões dos raios têm mulheres em poses luxuriosas, de natureza intensamente erótica.

Ele se referia aos incontáveis frisos de corpos nus entrelaçados, fazendo amor em várias posições, mulheres penduradas no pescoço de homens, os joelhos envolvendo eternamente as coxas de seus amantes. Além disso, havia cenas diversas da vida diária, de caça e comércio, de veados mortos com arco e flecha, de guerreiros marchando com espadas nas mãos.

Não era mais possível entrar no templo, porque se enchera de entulho anos antes, mas admiraram o exterior, assim como todos os turistas que o sr. Kapasi levava até ali, passeando devagar por todos os lados. O sr. Das seguia atrás, fotografando. As crianças corriam na frente, apontando as figuras nuas, intrigadas sobretudo pelos Nagamithunas, casais parte humanos parte serpentes que diziam viver nas águas mais profundas do mar, segundo o sr. Kapasi contou. Ele ficou satisfeito de terem gostado do templo, satisfeito principalmente porque era atraente à sra. Das. Ela parava a cada três ou quatro passos, olhando silenciosamente os amantes esculpidos, as procissões de elefantes e as mulheres instrumentistas de seios nus batendo tambores de dois lados.

Embora o sr. Kapasi tivesse visitado o templo vezes incontáveis, ao olhar as mulheres de seios nus naquele momento, lhe ocorreu que nunca tinha visto sua própria esposa inteiramente nua. Mesmo quando faziam amor, ela conservava os lados da blusa fechados, o fio da anágua amarrado na cintura. Ele nunca admirara a parte de trás das pernas de sua esposa como admirava agora as da sra. Das, caminhando como se para seu prazer apenas. Evidentemente ele tinha visto muitos membros nus antes, pertencentes a damas americanas e europeias que levava em suas excursões. Mas a sra. Das era diferente. Ao contrário de outras mulheres que só se interessavam pelo templo, com os narizes enfiados em seus guias, ou os olhos atrás das lentes das câmeras, a sra. Das havia se interessado por ele.

O sr. Kapasi estava ansioso para ficar a sós com ela e continuar a conversa particular, mas ao mesmo tempo sentia-se nervoso de andar a seu lado. Perdida atrás dos óculos escuros, ela ignorava os pedidos do marido para posar para mais uma foto, e passava pelos filhos como se fossem estranhos. Temendo incomodá-la, o sr. Kapasi ia à frente, para admirar, como sempre fazia, os três avatares de bronze em tamanho natural de Surya, o deus Sol, cada um emergindo de seu próprio nicho na fachada do templo para saudar o sol ao amanhecer, ao meio-dia e ao anoitecer. Usavam complexos arranjos de cabeça, tinham os olhos lânguidos, alongados, fechados, os peitos nus envoltos em correntes e amuletos esculpidos. Havia pétalas de hibiscos, oferenda de visitantes anteriores, espalhadas a seus pés cinza-esverdeados. A última estátua, na parede norte do templo, era a favorita do sr. Kapasi. Aquele Surya tinha uma expressão cansada, esgotado depois de um duro dia de trabalho, sentado de lado sobre um cavalo, com as pernas dobradas. Até os olhos do cavalo eram sonolentos. Ao redor de seu corpo havia esculturas menores de duplas de mulheres, os quadris projetados para um lado.

— Quem é esse? — a sra. Das perguntou. Ele se sobressaltou ao vê-la parada a seu lado.

— Este é Astachala-Surya — disse o sr. Kapasi. — O sol que se põe.

— Então dentro de duas horas o sol vai se pôr aqui? — Ela deslizou um pé para fora do sapato de salto quadrado, esfregou os dedos na parte de trás da outra perna.

— Isso mesmo.

Ela ergueu os óculos escuros um momento, colocou-os de novo.

— Legal.

O sr. Kapasi não tinha certeza do que aquela palavra sugeria, mas tinha a sensação de que era uma resposta favorável. Esperava que a sra. Das percebesse a beleza de Surya, sua potência. Talvez pudessem discutir mais a respeito em suas cartas. Ele explicaria algumas coisas sobre a Índia e ela explicaria sobre a América. À sua própria maneira, essa correspondência realizaria o sonho dele de servir de intérprete entre nações. Olhou para a bolsa de palha dela, deliciado ao saber que seu endereço estava aninhado entre seu conteúdo. Quando a imaginou a tantos quilômetros de distância, ele desvairou-se a tal ponto que sentiu uma inelutável urgência de passar os braços em torno dela, de se imobilizar com ela, mesmo que só por um instante, num abraço testemunhado por seu Surya favorito. Mas a sra. Das já estava se afastando.

— Quando volta para a América? — ele perguntou, tentando parecer tranquilo.

— Dentro de dez dias.

Ele calculou: uma semana para se instalar, uma semana para revelar as fotografias, uns dias para escrever a carta, duas semanas para a carta chegar à Índia de avião. Pelo seu horário, contando com atrasos, teria notícias da sra. Das dentro de cerca de seis semanas.

A família permaneceu calada quando o sr. Kapasi rodou de volta, um pouco depois das quatro e meia da tarde, para o Hotel Sandy Villa. Na banca de suvenires, as crianças tinham comprado miniaturas das rodas de granito da carruagem e as faziam girar nas mãos. O sr. Das continuava lendo seu guia. A sra. Das desembaraçou o cabelo de Tina com a escova e o separou em duas marias-chiquinhas.

O sr. Kapasi começava a lamentar a ideia de deixá-los. Não estava preparado para começar as seis semanas de espera pelas notícias da sra. Das. Espiando pelo retrovisor, enquanto ela amarrava elásticos no cabelo de Tina, ele pensava em como poderia fazer o passeio durar um pouco mais. Normalmente, ia direto a Puri usando um atalho, ansioso para voltar para casa, lavar os pés e as mãos com sabonete de sândalo e assistir ao noticiário da noite com uma xícara de chá que a esposa lhe servia em silêncio. A ideia desse silêncio, algo a que havia se resignado fazia muito tempo, agora o oprimia. Foi então que ele sugeriu visitarem os montes Udayagiri e Khandagiri, onde havia muitas moradas monásticas recortadas na rocha, umas em frente às outras ao longo de um desfiladeiro. Ficava alguns quilômetros adiante, mas valia a pena ver, disse o sr. Kapasi.

— Ah, sei, tem alguma coisa aqui no guia a respeito — disse o sr. Das. — Construídas por um rei jainista ou algo assim.

— Vamos então? — o sr. Kapasi perguntou. Fez uma pausa numa curva da estrada. — Fica à esquerda.

O sr. Das olhou para a sra. Das. Os dois deram de ombros.

— Esquerda, esquerda — as crianças cantaram.

O sr. Kapasi girou a direção quase delirante de alívio. Não sabia o que ia fazer ou dizer para a sra. Das quando chegassem aos montes. Talvez dissesse a ela que tinha um sorriso agradável. Talvez elogiasse a camiseta de morango, que achava irresistivelmente adequada a ela. Talvez, quando o sr. Das estivesse ocupado tirando uma foto, segurasse a mão dela.

Não precisava se preocupar. Quando chegaram aos montes, divididos por um caminho íngreme cheio de árvores, a sra. Das se recusou a descer do carro. Ao longo de todo o caminho, havia dezenas de macacos sentados nas pedras, e também nos galhos das árvores. Tinham as patas traseiras esticadas para a frente e erguidas à altura dos ombros, os braços apoiados nos joelhos.

— Estou com as pernas cansadas — ela disse, afundando no banco. — Vou ficar aqui.

— Por que tem de usar esse sapato idiota? — o sr. Das perguntou. — Não vai aparecer nas fotografias.

— Finja que estou junto.

— Mas nós podíamos usar uma foto para o nosso cartão de Natal deste ano. Não fizemos nenhuma de nós cinco juntos no Templo do Sol. O senhor Kapasi pode fazer a foto.

— Eu não vou. E esses macacos me deixam arrepiada.

— Mas são inofensivos — disse o sr. Das, e olhou para o sr. Kapasi. — Não são?

— São mais esfomeados que perigosos — disse o sr. Kapasi. — Se ninguém provocar com comida, eles não fazem nada.

O sr. Das seguiu pelo desfiladeiro com as crianças, os meninos a seu lado, a menininha sobre seus ombros. O sr. Kapasi observou quando cruzaram com um homem e uma mulher japoneses, únicos turistas presentes, que fizeram uma parada para tirar uma foto, em seguida entraram num carro estacionado ali perto e foram embora. Quando o carro sumiu de vista, alguns macacos se manifestaram, emitindo apupos de som grave, e caminharam pela trilha com as mãos e os pés pretos e chatos. Em certo ponto, um grupo deles fez um círculo em torno do sr. Das e das crianças. Tina gritou, deliciada. Ronny correu em círculos ao redor do pai. Bobby se abaixou e pegou um graveto grosso do chão. Quando ele o estendeu, um dos macacos se aproximou e arrancou-o de sua mão, depois bateu brevemente no chão.

— Eu vou com eles — disse o sr. Kapasi destrancando a porta do seu lado. — Tem muito o que explicar sobre as cavernas.

— Não. Fique um minuto — disse a sra. Das. Ela saiu do banco de trás e deslizou para o lado do sr. Kapasi. — Raj está com aquele livro idiota mesmo. — Juntos, a sra. Das e o sr. Kapasi ficaram olhando pelo para-brisa enquanto Bobby e o macaco trocavam a posse do graveto entre eles.

— Menininho valente — comentou o sr. Kapasi.

— Não é de surpreender — disse a sra. Das.

— Não?

— Não é dele.

— Como disse?

— Do Raj. Ele não é filho do Raj.

O sr. Kapasi sentiu a pele picar. Pegou no bolso da camisa uma latinha de bálsamo de óleo de lótus que sempre levava consigo e aplicou em três pontos da testa. Sabia que a sra. Das estava olhando para ele, mas não se virou para ela. Em vez disso, ficou observando as figuras do sr. Das e dos meninos diminuindo, subindo pelo caminho íngreme, parando aqui e ali para tirar uma foto, cercados por um número cada vez maior de macacos.

— Está surpreso? — O jeito como ela perguntou fez com que ele escolhesse as palavras cuidadosamente.

— Não é o tipo de coisa que se admita — o sr. Kapasi respondeu devagar. Guardou de volta a lata de bálsamo de óleo de lótus no bolso.

— Não, claro que não. E ninguém sabe, claro. Absolutamente ninguém. Mantive segredo durante oito anos inteiros. — Ela olhou para o sr. Kapasi, inclinando o queixo como se para obter uma nova perspectiva. — Mas agora contei para o senhor.

O sr. Kapasi assentiu com a cabeça. De repente, sentiu sede, a testa quente e ligeiramente amortecida pelo bálsamo. Pensou em pedir um gole de água para a sra. Das, mas achou melhor não.

— A gente era muito jovem quando se conheceu — disse ela. Procurou alguma coisa na bolsa de palha e tirou o pacote de pipoca de arroz. — Quer?

— Não, obrigado.

Ela pôs um punhado na boca, afundou-se no banco um pouco mais e desviou os olhos do sr. Kapasi para a janela do seu lado do carro.

— A gente ainda estava na faculdade quando se casou. Ele me pediu em casamento no colegial. Fizemos a mesma faculdade, claro. Naquela época, era insuportável a ideia de ficarmos separados por um dia, um minuto que fosse. Nossos pais eram grandes amigos que moravam na mesma cidade. Minha vida inteira me encontrei com ele todos os fins de semana, na nossa casa ou na deles. Nós dois íamos brincar no andar de cima enquanto nossos pais faziam piada sobre nosso casamento. Imagine! Nunca pegaram a gente fazendo nada, se bem que de certa forma acho que era tudo mais ou menos arranjado. As coisas que nós fizemos nessas sextas e sábados à noite, enquanto nossos pais tomavam chá no andar de baixo... Eu podia contar muita coisa, senhor Kapasi.

O resultado de passar com Raj todo seu tempo de faculdade foi que não fez muitos amigos próximos. Não havia ninguém com quem confidenciar a respeito dele no fim de um dia difícil, nem repartir uma ideia ou uma preocupação passageira. Os pais dela viviam agora do outro lado do mundo, mas na verdade ela nunca fora muito próxima deles. Depois de casar tão nova, ela se viu sufocada por tudo aquilo, ter um bebê tão depressa, amamentar, aquecer mamadeiras e experimentar a temperatura no pulso, enquanto Raj estava trabalhando, de suéter e calça de veludo, ensinando alunos a respeito de pedras e dinossauros. Raj nunca ficava zangado nem desanimado, nem gordo como ela ficou depois do primeiro filho.

Sempre cansada, recusava convites das únicas duas ou três amigas para almoçar ou ir fazer compras em Manhattan. As amigas acabaram parando de telefonar, de forma que ela ficava em casa sozinha o dia inteiro com o bebê, cercada de brinquedos, sempre mal-humorada e cansada. Só de vez em quando saíam depois que Ronny nasceu e ainda mais raramente recebiam alguém. Raj não se importava; queria voltar das aulas para casa e ver televisão, balançar Ronny em cima do joelho. Ela havia ficado furiosa quando Raj contou que um amigo de Punjabi, alguém que ela só havia encontrado uma vez, mas de quem não se lembrava, vinha passar uma semana com eles para fazer algumas entrevistas de emprego na região de New Brunswick.

Bobby foi concebido num sofá coberto de brinquedos de morder, quando o amigo ficou sabendo que uma companhia farmacêutica londrina o tinha contratado, enquanto Ronny chorava em seu quadrado, querendo mamar. Ela não protestara quando o amigo tocou sua cintura enquanto preparava o café, e a puxou contra o terno azul-marinho muito bem passado. Ele fez amor com ela depressa, em silêncio, com uma perícia que ela não conhecia, sem nenhuma das expressões e sorrisos significativos que Raj fazia insistentemente depois. No dia seguinte, Raj levou o amigo para o aeroporto JFK. Ele estava casado agora, com uma moça de Punjabi, ainda morava em Londres, todo ano trocavam cartões de Natal com Raj e Mina, cada casal anexando fotografias de suas famílias nos envelopes. Ele não sabia que era o pai de Bobby. E nunca saberia.

— Me desculpe, senhora Das, mas por que a senhora me contou isso? — perguntou o sr. Kapasi quando ela finalmente parou de falar e virou para olhar no rosto dele outra vez.

— Pelo amor de Deus, pare de me chamar de senhora Das. Tenho vinte e oito anos. O senhor deve ter filhos da minha idade.

— Não exatamente. — O sr. Kapasi ficou perturbado ao descobrir que ela pensava nele como um pai. A sensação que ele experimentara por ela, que o fizera conferir seu reflexo no espelho retrovisor durante a viagem, evaporou um pouco.

— Contei por causa dos seus talentos. — Ela guardou o pacote de pipocas de arroz na bolsa outra vez, sem dobrar a parte de cima.

— Não entendo — disse o sr. Kapasi.

— Não entende? Durante oito anos eu não pude expressar isso para ninguém, nem para amigos, nem, com toda a certeza, para Raj. Ele nem desconfia. Acha que ainda estou apaixonada por ele. Bom, o senhor não tem nada para me dizer?

— Sobre o quê?

— Sobre o que eu acabei de contar. Sobre meu segredo e como é horrível o que sinto por causa disso. Eu me sinto horrível de olhar para meus filhos, para Raj, sempre horrível. Tenho impulsos terríveis, senhor Kapasi, de jogar coisas fora. Um dia, senti o impulso de jogar tudo o que eu tenho pela janela, a televisão, as crianças, tudo. Não acha que é doença?

Ele ficou em silêncio.

— Senhor Kapasi, o senhor não tem nada para dizer? Achei que era seu trabalho.

— Meu trabalho é de guia turístico, senhora Das.

— Não esse. Seu outro trabalho. De intérprete.

— Mas nós não temos uma barreira de língua. Qual a necessidade de um intérprete?

— Não é isso que quero dizer. Nunca teria contado para o senhor se não fosse por isso. O senhor não percebe o que significa para mim?

— O que significa?

— Significa que estou cansada de me sentir tão horrível o tempo todo. Oito anos, senhor Kapasi, isso me dói há oito anos. Eu tinha esperança de que o senhor fizesse com que eu me sentisse melhor, que dissesse a coisa certa. Sugerisse algum tipo de remédio.

Ele olhou para ela, com sua saia xadrez vermelha e camiseta de morango, uma mulher de menos de trinta anos, que não amava nem o marido, nem os filhos, que tinha deixado de amar a vida. A confissão dela o deprimiu, deprimiu ainda mais quando ele pensou no sr. Das no alto do caminho, Tina montada em seus ombros, tirando fotos de celas de um mosteiro antigo cavadas no morro para mostrar a seus alunos na América, sem desconfiar, sem saber que um de seus filhos não era seu. O sr. Kapasi se sentiu insultado com o pedido da sra. Das para que interpretasse seu segredo comum, trivial. Ela não parecia os clientes do consultório médico, aqueles que vinham com os olhos vidrados, em desespero, sem poder dormir, respirar ou urinar com facilidade, sem poder, acima de tudo, pôr em palavras suas dores. Mesmo assim, o sr. Kapasi achou que era seu dever ajudar a sra. Das. Talvez devesse dizer a ela para confessar a verdade ao sr. Das. Explicaria que a honestidade é a melhor atitude. Honestidade, sem dúvida, a ajudaria a se sentir melhor, como ela dizia. Talvez ele pudesse se oferecer para conduzir a discussão, como um mediador. Resolveu começar com a pergunta mais óbvia, para chegar ao âmago da questão, então disse:

— É dor mesmo que a senhora sente ou é culpa?

Ela virou para ele e o fuzilou com o olhar, o óleo de mostarda grosso nos lábios rosados brilhantes. Ela abriu a boca para dizer alguma coisa, mas, ao olhar para o sr. Kapasi, alguma certeza pareceu passar diante de seus olhos e ela se calou. Ele se sentiu esmagado; entendeu naquele momento que não era importante o suficiente nem para ser devidamente insultado. Ela abriu a porta do carro e começou a subir pelo caminho, oscilando um pouco no salto de madeira, comendo punhados de pipoca de arroz que tirava da bolsa de palha. Algumas caíam de entre seus dedos, deixando uma trilha em zigue-zague, o que fez um macaco saltar de uma árvore para devorar os grãozinhos brancos. Querendo mais, o macaco começou a seguir a sra. Das. Outros se juntaram a ele, de forma que logo ela era seguida por cerca de meia dúzia deles, arrastando os rabos aveludados.

O sr. Kapasi desceu do carro. Queria gritar, alertá-la de alguma forma, mas temia que, se ela soubesse que estavam atrás dela, ficasse nervosa. Talvez perdesse o equilíbrio. Talvez puxassem sua bolsa ou seu cabelo. Começou a subir correndo a trilha com um galho quebrado na mão para assustar os macacos. A sra. Das continuava andando, alheia, derrubando uma trilha de pipocas de arroz. Perto do alto do aclive, diante de um grupo de celas com uma fileira de colunas baixas na frente, o sr. Das estava ajoelhado no chão, focalizando a câmera. As crianças estavam atrás da arcada, às vezes sumiam, às vezes apareciam.

— Espere por mim — a sra. Das gritou. — Estou chegando.

Tina começou a pular.

— Mamãe está chegando!

— Ótimo — disse o sr. Das sem erguer os olhos. — Bem na hora. Vamos pedir para o sr. Kapasi tirar uma foto de nós cinco.

O sr. Kapasi apressou o passo, sacudindo o galho de forma que os macacos se espalharam, assustados, em outra direção.

— Onde está o Bobby? — a sra. Das perguntou ao parar.

O sr. Das ergueu os olhos da câmera.

— Não sei. Ronny, onde está o Bobby?

Ronny encolheu os ombros.

— Achei que estava aqui.

— Onde ele está? — a sra. Das repetiu com firmeza. — Qual é o problema de vocês?

Começaram a chamar o nome dele, subindo e descendo por um trecho do caminho. Como estavam chamando, no começo não ouviram os gritos do menino. Quando o encontraram, um pouco adiante na trilha, debaixo de uma árvore, estava cercado por um grupo de macacos, uns doze animais, puxando sua camiseta com os longos dedos pretos. A pipoca de arroz que a sra. Das havia derrubado, espalhada aos seus pés, era recolhida pelas mãos dos macacos. O menino estava quieto, o corpo rígido, lágrimas correndo pelo rosto assustado. As pernas nuas empoeiradas tinham vergões onde um dos macacos havia batido repetidamente nele com o graveto que o menino havia lhe dado antes.

— Pai, o macaco está machucando o Bobby — Tina falou.

O sr. Das enxugou as palmas das mãos na parte da frente da bermuda. Em seu nervosismo, apertou acidentalmente o obturador da câmera, o ruído ronronante do filme se enrolando excitou os macacos e o que estava com o graveto começou a bater em Bobby com mais alvoroço.

— O que a gente faz? E se eles começarem a atacar?

— Senhor Kapasi — a sra. Das gritou, vendo que ele estava parado ao lado. — Faça alguma coisa, pelo amor de Deus, faça alguma coisa.

O sr. Kapasi pegou seu galho e os espantou, chiando para os que ficaram para trás, batendo os pés para assustá-los. Os animais recuaram devagar, com passo comedido, obedientes, mas não intimidados. O sr. Kapasi carregou Bobby no colo e o levou aonde estavam seus pais e irmãos. Ao carregá-lo, ficou tentado a sussurrar um segredo no ouvido do menino. Mas Bobby estava em choque, tremendo de medo, as pernas sangrando ligeiramente onde o graveto havia rompido a pele. Quando o sr. Kapasi o entregou para os pais, o sr. Das limpou a terra da camiseta dele e ajeitou o boné. A sra. Das procurou dentro da bolsa de palha, encontrou um curativo que colou em cima do corte no joelho do menino. Ronny ofereceu ao irmão um chiclete.

— Ele está bem. Só um pouco assustado, certo, Bobby? — disse o sr. Das acariciando o alto da cabeça do menino.

— Meu Deus, vamos embora daqui — disse a sra. Das. Ela cruzou os braços em cima do morango do peito. — Este lugar me dá calafrios.

— É. De volta para o hotel, sem dúvida nenhuma — concordou o sr. Das.

— Coitado do Bobby — disse a sra. Das. — Venha aqui um pouco. Deixe a mamãe arrumar seu cabelo. — De novo ela procurou na bolsa de palha, dessa vez pela escova de cabelo, e começou a passá-la em volta da aba transparente da viseira. Quando tirou a escova, o papelzinho com o endereço do sr. Kapasi voou com o vento. Ninguém além do sr. Kapasi notou. Ele ficou olhando quando o papel subiu, levado mais e mais alto pela brisa, em meio as árvores onde os macacos agora estavam sentados, observando solenemente a cena abaixo. O sr. Kapasi observou também, sabendo que essa era a imagem da família Das que ele ia preservar para sempre em sua cabeça.

UM *DURWAN* DE VERDADE

Buri Ma, varredora de escada, não dormia havia duas noites. Então, na manhã antes da terceira noite, ela sacudiu os ácaros de sua roupa de cama. Sacudiu as colchas uma vez, debaixo das caixas de correio onde morava, depois mais uma vez na boca da alameda, fazendo os corvos que se alimentavam de cascas de vegetais se espalharem em várias direções.

Ao começar a subida dos quatro andares até a cobertura, Buri Ma segurava com uma das mãos o joelho que inchava no começo de toda temporada de chuva. Isso queria dizer que o balde, as colchas e o feixe de juncos que serviam como vassoura tinham de ser levados todos debaixo de um só braço. Ultimamente, Buri Ma vinha achando que os degraus estavam ficando mais íngremes; subir a escada do prédio parecia mais com subir numa escada de pedreiro. Tinha sessenta e quatro anos, o cabelo num nó não maior que uma noz, e parecia quase tão estreita de frente como de lado.

De fato, a única coisa que parecia tridimensional em Buri Ma era sua voz: áspera de tristezas, ácida como coalho e aguda a ponto de ralar a polpa de um coco. Era com essa voz que ela enumerava, duas vezes por dia, ao varrer a escada, os detalhes de sua condição e as perdas que sofrera desde a deportação de Calcutá depois da Partição. Naquela época, afirmava ela, o torvelinho a tinha separado de um marido, quatro filhas, uma casa de tijolos de dois andares, um *almari* de pau-rosa e uma porção de caixas-cofres cujas chaves mestras ela ainda levava consigo, junto com as economias de sua vida, amarradas na ponta solta do sári.

Além de suas dificuldades, a outra coisa que Buri Ma gostava de comentar eram os tempos mais fáceis. De forma que, quando chegava ao patamar do segundo andar, já havia esboçado para a atenção do prédio inteiro o menu da noite de núpcias de sua terceira filha.

— Casamos a menina com um diretor de escola. O arroz, cozido em água de rosas. O prefeito foi convidado. Todo mundo lavava os dedos em tigelas de estanho. — Aí, ela fazia uma pausa, recuperava o fôlego, tornava a arrumar os suprimentos debaixo do braço. Aproveitava a oportunidade também para perseguir uma barata escondida nos balaústres, e continuava: — Camarão-mostarda cozido na folha de bananeira. Não faltou nenhum quitute. Não que fosse uma extravagância para nós. Na nossa casa se comia carneiro duas vezes por semana. A gente tinha um tanque de nossa propriedade, cheio de peixes.

Nessa altura, Buri Ma via alguma luz da cobertura se espalhando pela escada. E, embora fossem apenas oito horas, o sol já estava tão forte que aquecia os últimos degraus de cimento a seus pés. Era um prédio muito velho, do tipo que a água do banho ainda precisava ser armazenada em tambores, janelas sem vidro e latrinas feitas de tijolos.

— Veio um homem para colher nossas tâmaras e goiabas. Outro para podar o hibisco. É, nesse tempo eu saboreava a vida. Hoje meu jantar é uma tigela de arroz.

Nessa altura do recital, as orelhas de Buri Ma começavam a queimar; uma dor mastigava seu joelho inchado.

— Contei que atravessei a fronteira só com duas pulseiras no braço? E houve tempo em que eu só pisava em chão de mármore. Acreditem em mim ou não, confortos que vocês nunca sonharam.

Se havia alguma verdade na litania de Buri Ma ninguém tinha certeza. O fato é que todo dia o perímetro de sua antiga propriedade parecia duplicar, assim como o conteúdo de seu *almari* e cofres. Ninguém duvidava que fosse uma refugiada; sua pronúncia do bengalês deixava isso claro. Mesmo assim, os moradores desse prédio de apartamentos específico não conseguiam juntar as alegações de uma antiga riqueza ao relato mais provável de que ela havia atravessado a fronteira oriental de Bengala, ao lado de milhares de outros, na carroceria de um caminhão, entre sacos de cânhamo. E no entanto havia dias em que Buri Ma insistia que viera de Calcutá num carro de bois.

— Do que foi, caminhão ou carro de boi? — as crianças às vezes perguntavam a ela a caminho de brincar de mocinho e bandido na alameda. Ao que Buri Ma respondia sacudindo a ponta solta do sári e chacoalhando as chaves mestras.

— Por que pergunta detalhes? Por que raspar o visgo de uma folha de bétel? Acredite, não acredite. Minha vida é de tanto sofrimento que vocês nem imaginam.

Assim ela adulterava os fatos. Se contradizia. Enfeitava quase tudo. Mas suas tiradas eram tão persuasivas, sua aflição tão viva, que não era fácil ignorá-la.

Que tipo de proprietária de terras acabava varrendo escadas? Era isso que o sr. Dalal, do terceiro andar, sempre se perguntava ao passar por Buri Ma na ida e na volta do escritório, onde ele arquivava recibos para um distribuidor de tubos de borracha, canos e peças de válvulas no atacado no bairro dos encanadores de College Street.

Bechareh,* ela provavelmente inventa histórias como forma de lamentar a perda da família, era a conjetura coletiva de quase todas as esposas.

E "Buri Ma vive com a boca cheia de cinza, mas ela é vítima do tempo de mudanças" era o refrão do velho sr. Chatterjee. Ele não saía de sua sacada, nem abria um jornal desde a Independência,

* "Coitada", "pobrezinha". [N.E.]

mas, apesar desse fato, ou talvez por causa dele, suas opiniões eram sempre altamente valorizadas.

Acabou circulando uma teoria de que Buri Ma uma vez trabalhara como diarista de um próspero *zamindar** no leste e por isso era capaz de exagerar seu passado a esse extremo. Suas imposturas guturais não faziam mal a ninguém. Todos concordavam que ela era uma verdadeira atriz. Em troca de acomodação debaixo das caixas de correio, Buri Ma mantinha a escada torta impecavelmente limpa. Acima de tudo, os moradores gostavam de Buri Ma, que dormia toda noite atrás do portão pantográfico, mantendo guarda entre eles e o mundo exterior.

Ninguém no prédio de apartamentos em questão possuía muita coisa que valesse a pena roubar. A viúva do segundo andar, sra. Misra, era a única que tinha telefone. Mas os moradores agradeciam a Buri Ma por patrulhar as atividades na alameda, selecionar os mascates que vendiam pentes e xales de porta em porta, ser capaz de chamar um riquixá a qualquer momento e conseguir, com algumas vassouradas, desalojar qualquer personagem suspeito que invadisse a área para cuspir, urinar ou aprontar qualquer outra confusão.

Em resumo, ao longo dos anos, os serviços de Buri Ma chegaram a rivalizar com os de um verdadeiro *durwan*.** Embora em circunstâncias normais não fosse um trabalho para mulheres, ela honrava suas responsabilidades e mantinha vigilância com uma aplicação não menor do que se fosse porteira de uma casa na Lower Circular Road, ou em Jodhpur Park, ou qualquer outro bairro elegante.

* Proprietário de terras, especialmente o que arrenda suas terras para lavradores. [N.E.]

** Porteiro, zelador. [N.E.]

Na cobertura, Buri Ma estendeu suas colchas no varal. O arame, esticado em diagonal de um canto a outro do parapeito, cortava seu panorama de antenas de televisão, cartazes e arcos distantes da ponte Howrah. Buri Ma consultou o horizonte nas quatro direções. Depois, abriu a torneira da base da cisterna. Lavou o rosto, enxaguou os pés e esfregou dois dedos nos dentes. Depois disso, começou a bater as colchas de ambos os lados com a vassoura. De quando em quando, parava e olhava atenta o cimento, esperando identificar o culpado de suas noites insones. Estava tão absorta nesse processo que levou algum tempo para perceber a sra. Dalal, do terceiro andar, que tinha vindo trazer uma bandeja de cascas de limão salgadas para secar ao sol.

— Tem alguma coisa dentro dessa colcha que não me deixa dormir de noite — disse Buri Ma. — Me diga, o que a senhora vê?

A sra. Dalal tinha certa ternura por Buri Ma; de vez em quando dava à velha um pouco de pasta de gengibre para temperar seus guisados.

— Não vejo nada — a sra. Dalal disse depois de um momento. Tinha pálpebras diáfanas e anéis nos dedos dos pés muito finos.

— Então deve ter asas — concluiu Buri Ma. Baixou a vassoura e observou a nuvem que passava atrás de outra nuvem. — Eles voam antes que eu consiga esmagar. Mas veja minhas costas. Deve estar roxa de tanta picada.

A sra. Dalal ergueu a parte de trás do sári de Buri Ma, um tecido barato com barrado da cor de um tanque sujo. Examinou a pele acima e abaixo da blusa, cortada num estilo que não era mais vendido nas lojas. E disse:

— Buri Ma, você está imaginando coisas.

— Estou dizendo, essas pulgas estão me comendo viva.

— Deve ser brotoeja de calor — sugeriu a sra. Dalal.

Buri Ma soltou o sári da mão dela e fez chacoalhar as chaves mestras. Disse:

— Eu conheço brotoeja. Isto aqui não é brotoeja. Faz três noites que não durmo, quatro, acho. Para que contar? Eu tinha uma cama limpa. Nossos lençóis eram de linho. Acredite em mim ou não, nossos mosquiteiros eram mais macios que seda. Confortos que vocês nem imaginam.

— Não imagino mesmo — ecoou a sra. Dalal. Baixou as pálpebras diáfanas e suspirou. — Não imagino mesmo, Buri Ma. Vivo em dois cômodos caindo aos pedaços, com um marido que vende peças para privadas. — A sra. Dalal virou-se e olhou uma das colchas. Passou um dedo por uma costura. E perguntou:

— Buri Ma, quanto tempo faz que está dormindo com essas colchas?

Buri Ma levou um dedo aos lábios antes de responder que não se lembrava.

— Então por que não falou delas até hoje? Acha que nós não somos capazes de dar colchas novas para você? Um impermeável que fosse? — Ela parecia insultada.

— Não precisa — disse Buri Ma. — Agora já limpei. Bati com a vassoura.

— Não quero discussão — disse a sra. Dalal. — Você precisa de cama nova. Colchonete, um travesseiro. Um cobertor quando chegar o inverno. — Ao falar, a sra. Dalal acompanhava os itens necessários tocando o polegar nas pontas dos dedos.

— Em dias de festa, os pobres vinham pedir comida na nossa casa — disse Buri Ma. Estava enchendo o balde na pilha de carvão no outro extremo da cobertura.

— Vou falar com o senhor Dalal quando ele voltar do escritório — disse a sra. Dalal a caminho da escada. — Passe hoje à tarde. Vou te dar um pouco de picles e um talco para as costas.

— Não é brotoeja — disse Buri Ma.

Era verdade que brotoeja era comum durante a temporada de chuvas. Mas Buri Ma preferia achar que o que irritava sua cama, o que tirava seu sono, o que queimava como pimenta em sua pele e debaixo dos cabelos ralos era de origem menos simplória.

Estava ruminando essas coisas enquanto varria a escada — ela sempre vinha de cima para baixo — quando começou a chover. A chuva estralejou na cobertura como um menino com chinelos grandes demais e levou as cascas de limão da sra. Dalal para o ralo. Antes que os pedestres pudessem abrir seus guarda-chuvas, a água correu por colarinhos, bolsos, sapatos. Particularmente naquele prédio de apartamentos e em todos os prédios vizinhos, venezianas rangentes foram fechadas e amarradas com cordões nas barras das janelas.

Nesse momento, Buri Ma estava trabalhando no patamar do segundo andar. Ela olhou os degraus íngremes e, quando o som da água caindo apertou ao redor dela, sabia que suas colchas estavam virando iogurte.

Mas lembrou da conversa com a sra. Dalal. E continuou, no mesmo ritmo, varrendo a poeira, as pontas de cigarro, as embalagens de pastilhas do resto da escada, até chegar às caixas de correio da base. Para deter o vento, ela procurou algum papel em suas cestas e enfiou-os nas aberturas em forma de losango do portão pantográfico. Então, em cima do balde de carvão pôs seu almoço para esquentar, monitorando a chama com um abano de folha de palmeira trançada.

Nessa tarde, como era seu costume, Buri Ma refez o nó do cabelo, desamarrou a ponta solta do sári e contou as economias de sua vida. Tinha acabado de acordar de um cochilo de vinte minutos, que tirara em sua cama temporária, feita de jornais. A chuva tinha parado e agora o cheiro acre que subia das folhas molhadas de mangueira pairava baixo sobre a alameda.

Em certas tardes, Buri Ma visitava moradores seus colegas. Gostava de entrar e sair das diversas casas. Os moradores, por sua vez, garantiam a Buri Ma que ela era sempre bem-vinda; nunca passavam a tranca em suas portas, a não ser à noite. Cuidavam dos seus interesses, ralhando com os filhos, contabilizando despesas ou catando pedras do arroz para a noite. De vez em quando, ela ganhava um copo de chá, uma lata de bolachas era passada em sua direção e ela ajudava crianças a lançar as fichas no tabuleiro do jogo de carrom. Sabendo que não devia sentar na mobília, ela se agachava nas portas ou corredores, e observava gestos e maneiras da mesma forma que uma pessoa tende a observar o tráfego numa cidade estrangeira.

Nessa tarde, Buri Ma resolveu aceitar o convite da sra. Dalal. Ainda sentia coceira nas costas, mesmo depois de cochilar nos jornais, e afinal estava começando a querer algum talco contra brotoeja. Pegou sua vassoura — nunca se sentia completa sem ela — e ia subir a escada quando um riquixá parou no portão pantográfico.

Era o sr. Dalal. Os anos que ele passara preenchendo recibos haviam deixado meias-luas roxas debaixo de seus olhos. Mas hoje seu olhar estava brilhando. A ponta da língua brincava entre os dentes e apoiadas nas coxas levava duas pias de cerâmica pequenas.

— Buri Ma, tenho um trabalho para você. Me ajude a levar estas pias para cima. — Ele apertou um lenço dobrado na testa e no pescoço, e deu uma moeda ao puxador de riquixá. Então, ele e Buri Ma levaram as pias até o terceiro andar. Só quando já estavam dentro do apartamento foi que ele finalmente anunciou aos poucos outros moradores que tinham ido atrás deles por curiosidade o seguinte: que estavam terminadas suas horas preenchendo recibos para o distribuidor de tubos de plástico, canos e peças para válvulas. Que o próprio distribuidor, desejoso de novos ares, e cujos lucros haviam dobrado, estava abrindo uma sucursal em Burdwan. E que, depois de uma avaliação de sua diligente dedicação ao longo dos anos, o distribuidor estava promovendo o sr. Dalal a gerente da sucursal da College Street. Agitado, no caminho de volta para casa pelo bairro dos encanadores, o sr. Dalal comprara duas pias.

— O que vamos fazer com duas pias em um apartamento de dois cômodos? — a sra. Dalal perguntou. Ela já estava chateada por causa das cascas de limão. — Quem já ouviu falar de uma coisa dessas? Eu ainda cozinho com fogão a querosene. Você se recusa a se inscrever para um telefone. E ainda estou para ver a geladeira que me prometeu quando casamos. Acha que duas pias compensam tudo isso?

A discussão que se seguiu foi em voz suficientemente alta para ser ouvida até nas caixas de correio lá embaixo. Alta o bastante e prolongada o bastante para encobrir uma segunda chuvarada que caiu depois que escureceu. Alta o bastante até para distrair Buri Ma enquanto varria a escada de alto a baixo pela segunda vez no dia e por essa razão ela não falou nem de suas dificuldades, nem dos tempos melhores. Ela passou a noite numa cama de jornais.

A discussão entre o sr. e a sra. Dalal ainda estava mais ou menos em andamento na manhã seguinte, cedinho, quando uma equipe de trabalhadores descalços chegou para instalar as duas pias. Depois de uma noite revirando-se na cama e andando de um lado para o outro, o sr. Dalal resolvera instalar uma pia na sala de estar do apartamento e outra na escada do prédio, no patamar do primeiro andar.

— Assim todo mundo pode usar — explicou de porta em porta. Os moradores ficaram deliciados; havia anos que escovavam os dentes com água armazenada e vertida de jarras.

Enquanto isso, o sr. Dalal pensava assim: uma pia na escada sem dúvida vai impressionar as visitas. Agora que ele era gerente da companhia, quem sabe quem poderia visitar o prédio?

Os operários trabalharam durante várias horas. Subiam e desciam a escada e comeram seu almoço acocorados contra a balaustrada. Martelaram, gritaram, cuspiram e xingaram. Limparam o suor na ponta dos turbantes. Em termos gerais, tornaram impossível para Buri Ma varrer a escada esse dia.

Para ocupar o tempo, Buri Ma retirou-se para a cobertura. Caminhou ao longo dos parapeitos, mas estava com o quadril dolorido de dormir nos jornais. Depois de consultar o horizonte nas quatro direções, ela rasgou o que restava de suas colchas em várias tiras e resolveu polir a balaustrada mais tarde.

No começo da noite, os moradores se reuniram para admirar os trabalhos do dia. Até Buri Ma foi convidada a lavar as mãos na límpida água corrente. Ela fungou.

— A água do nosso banho era perfumada com pétalas e essências. Acreditem em mim ou não, era um luxo que vocês nem imaginam.

O sr. Dalal passou a demonstrar os vários aspectos da pia. Abriu e fechou totalmente cada torneira. Depois abriu as duas torneiras ao mesmo tempo para ilustrar a diferença de pressão da água. Erguendo uma pequena alavanca entre as torneiras, podia-se acumular água na pia, se desejado.

— Última palavra em elegância — concluiu o sr. Dalal.

— Sinal certo de que os tempos estão mudados — disseram que o sr. Chatterjee falou de sua sacada.

Entre as esposas, porém, logo se gerou ressentimento. Paradas na fila para escovar os dentes de manhã, cada uma delas se frustrava por ter de esperar a vez, ter de enxugar as torneiras depois de cada uso e não poder deixar seu próprio sabonete e tubo de pasta de dentes na estreita borda da pia. Os Dalal tinham sua própria pia; por que eles todos tinham de compartilhar?

— Está acima das nossas posses comprar pias próprias? — uma delas explodiu uma manhã.

— Os Dalal são os únicos que podem melhorar de condição neste prédio? — outra perguntou.

Começaram a se espalhar rumores: que, depois da discussão, o sr. Dalal havia consolado a esposa comprando para ela dois quilos de óleo de mostarda, um xale de caxemira, uma dúzia de sabonetes de sândalo; que o sr. Dalal tinha preenchido um requerimento para entrar na fila de um telefone; que a sra. Dalal não fazia nada além de lavar as mãos na pia o dia inteiro. Como se isso não bastasse, na manhã seguinte, um táxi com destino à estação Howrah parou na alameda: os Dalal iam passar dez dias em Simla.

— Buri Ma, eu não esqueci. Vou trazer para você um cobertor de pelo de cabra feito nas montanhas — disse a sra. Dalal pela janela aberta do táxi. Ela levava no colo uma bolsa de couro que combinava com a borda turquesa do sári.

— Vamos trazer dois! — exclamou o sr. Dalal, sentado ao lado da esposa, conferindo os bolsos para ter certeza de que a carteira estava no lugar.

De todas as pessoas que moravam naquele prédio de apartamentos específico, Buri Ma foi a única que ficou diante do portão pantográfico para desejar a eles uma boa viagem.

Assim que os Dalal partiram, as outras esposas começaram a planejar suas próprias reformas. Uma decidiu trocar suas pulseiras de casamento e contratou um caiador para remodelar as paredes da escada. Outra penhorou a máquina de costura e convocou um exterminador. Uma terceira foi até um artesão e vendeu um conjunto de tigelas de pudim: pretendia mandar pintar as venezianas de amarelo.

Trabalhadores começaram a ocupar o prédio de apartamentos em questão dia e noite. Para evitar a circulação, Buri Ma passou a dormir na cobertura. Tanta gente entrava e saía pelo portão pantográfico, tantos outros lotavam a alameda a todas as horas, que não havia por que controlar todos.

Depois de alguns dias, Buri Ma também mudou suas cestas e seu balde de cozinhar para a cobertura. Não havia necessidade de usar a pia de baixo, porque podia com a mesma facilidade, como sempre fizera, se lavar na torneira da cisterna. Ainda planejava polir a balaustrada com as tiras que havia rasgado de suas colchas. Continuava a dormir em cima de seus jornais.

Veio mais chuva. Acocorada debaixo do beiral gotejante, um jornal em cima da cabeça, Buri Ma observou as formigas da monção marchando pelo varal, levando ovos na boca. O vento úmido amainava suas costas. Os jornais estavam acabando.

Suas manhãs eram longas, suas tardes ainda mais longas. Ela não conseguia se lembrar de seu último copo de chá. Sem pensar nem em suas dificuldades, nem em seus tempos mais fáceis, ela se perguntava quando os Dalal iam voltar com sua cama nova.

Começou a ficar inquieta na cobertura, então, para fazer algum exercício, Buri Ma começou a circular pelo bairro à tarde. Vassoura de gravetos na mão, sári manchado de tinta de jornal, ela vagava por mercados e começou a gastar as economias de sua vida em pequenos prazeres: hoje um pacote de pipoca de arroz, amanhã castanhas de caju, no dia seguinte um copo de caldo de cana. Um dia, ela foi até as bancas de livros da College Street. No dia seguinte, foi ainda mais longe, até os mercados de variedades do bazar Bow. Foi lá, quando estava parada num mercado observando jacas e caquis, que sentiu alguma coisa puxando a ponta solta de seu sári. Quando olhou, o resto das economias de sua vida e as chaves mestras tinham desaparecido.

Quando ela voltou essa tarde, os moradores a esperavam no portão pantográfico. Gritos terríveis soavam para cima e para baixo da escada, todos ecoando a mesma notícia: a pia da escada havia sido roubada. Havia um grande buraco na parede recém-caiada e dele saía um emaranhado de tubos de borracha e canos. O patamar estava cheio de cacos de estuque. Buri Ma pegou sua vassoura de gravetos e não disse nada.

Em sua pressa, os moradores praticamente carregaram Buri Ma pela escada até a cobertura, onde a plantaram de um lado do varal e começaram a gritar com ela do outro.

— Tudo culpa dela — berrou alguém, apontando Buri Ma. — Ela informou os ladrões. Onde ela estava quando tinha de ficar vigiando o portão?

— Faz dias que ela anda pela rua, conversando com estranhos — outra informou.

— A gente repartiu o carvão, deu um lugar para ela dormir. Como é que pode trair a gente desse jeito? — uma terceira queria saber.

Embora nenhuma delas falasse diretamente com Buri Ma, ela respondeu.

— Acreditem, acreditem. Eu não informei ladrão nenhum.

— Faz anos que a gente aguenta suas mentiras — responderam. — Acha que a gente agora vai acreditar em você?

As recriminações persistiram. Como iam explicar aos Dalal? Acabaram indo se aconselhar com o sr. Chatterjee. Encontraram-no sentado em sua sacada, olhando o engarrafamento do trânsito.

Uma moradora do segundo andar falou:

— Buri Ma pôs em perigo a segurança deste prédio. Nós temos valores. A senhora Misra, viúva, mora sozinha com seu telefone. O que a gente deve fazer?

O sr. Chatterjee considerou seus argumentos. Enquanto pensava, ajustou o xale que usava nos ombros e observou os andaimes de bambu que agora cercavam sua sacada. As venezianas atrás dele, descoloridas desde que ele podia se lembrar, tinham sido pintadas de amarelo. Finalmente, ele disse:

— A boca de Buri Ma está cheia de cinza. Mas isso não é nenhuma novidade. O que é novo é a cara deste prédio. O que um prédio deste precisa é de um *durwan* de verdade.

Então os moradores jogaram seu balde e seus trapos, suas cestas e sua vassoura de gravetos pela escada, pelas caixas de correio, pelo portão pantográfico até a alameda. Depois jogaram fora Buri Ma. Estavam todos ansiosos para começar sua busca por um *durwan* de verdade.

Da pilha de seus pertences, Buri Ma conservou apenas a vassoura.

— Acreditem, acreditem — ela disse mais uma vez quando sua figura se afastava. E sacudiu a ponta solta do sári, mas nada chacoalhou.

SEXY

Era o pior pesadelo de uma esposa. Laxmi contou a Miranda que depois de nove anos de casamento o marido de sua prima tinha se apaixonado por outra mulher. Ele sentara ao lado dela num avião, num voo de Délhi a Montreal e, em vez de voltar para a esposa e o filho, desceu com a outra em Heathrow. Telefonou para a esposa, disse que tivera uma conversa que havia mudado sua vida e que precisava de um tempo para entender as coisas. A prima de Laxmi ficara de cama.

— Não que eu ache que ela está errada — disse Laxmi. Pegou o Hot Mix que mastigava o dia inteiro e que Miranda achava que parecia cereal de laranja empoeirado. — Imagine. Uma inglesa, metade da idade dele. — Laxmi era apenas alguns anos mais velha que Miranda, mas já estava casada e tinha uma foto dela e do marido, sentados num banco de pedra branca na frente do Taj Mahal, pregada dentro de seu cubículo, que ficava vizinho do de Miranda. Laxmi estava ao telefone fazia pelo menos uma hora, tentando acalmar a prima. Ninguém notou; trabalhavam numa estação de rádio do governo, no departamento de levantamento de fundos, cercadas por pessoas que passavam o dia inteiro ao telefone, pedindo doações.

— Eu sinto pelo menino — Laxmi acrescentou. — Não sai de casa há dias. Minha prima disse que nem o leva para a escola.

— Parece horrível — disse Miranda. Normalmente, as conversas de Laxmi ao telefone — principalmente com o marido, sobre o que fazer para o jantar — distraíam Miranda enquanto digitava cartas pedindo aos membros da estação de rádio que aumentassem sua doação anual em troca de uma sacola ou de um guarda-chuva. Através da parede laminada entre suas mesas, ela ouvia Laxmi claramente, as frases temperadas de vez em quando com uma palavra indiana. Mas, nessa tarde, Miranda não ouvia. Estava ela própria ao telefone, com Dev, resolvendo onde iriam se encontrar mais tarde, à noitinha.

— Mas também uns dias em casa não vão tirar um pedaço do menino. — Laxmi comeu mais alguns Hot Mix, depois guardou o pacote na gaveta. — Ele é uma espécie de gênio. A mãe é punjabi, o pai bengali, e como aprende francês e inglês na escola, já fala quatro línguas. Acho que pulou dois anos.

Dev era bengali também. De início, Miranda achara que era uma religião. Mas depois ele apontou para um lugar na Índia chamado Bengala, num mapa impresso num número da *The Economist*. Ele levara a revista especialmente ao apartamento dela, porque Miranda não tinha atlas nem nenhum outro livro com mapas. Apontou para a cidade onde havia nascido e para outra cidade, onde seu pai havia nascido. Uma das cidades tinha um box em torno, com a intenção de atrair o olhar do leitor. Quando Miranda perguntou o que queria dizer o box, Dev enrolou a revista e disse: "Nada com que você precise se preocupar", e bateu com ela de brincadeira em sua cabeça.

Antes de sair do apartamento, ele jogou a revista no lixo, junto com as pontas de três cigarros que tinha fumado durante a visita. Mas quando ela viu seu carro desaparecer na avenida Commonwealth, de volta a sua casa no subúrbio, onde morava com a mulher, Miranda recuperou a revista, limpou a cinza da capa e enrolou-a na direção oposta para que ficasse lisa. Deitou na cama, ainda desarrumada por terem feito amor, e estudou as fronteiras de Bengala. Havia uma baía abaixo e montanhas acima. O mapa tinha ligação com um artigo a respeito de alguma coisa chamada Gramin Bank. Ela virou a página, esperando encontrar uma fotografia da cidade onde Dev nascera, mas tudo o que encontrou foram gráficos e tabelas. Mesmo assim, olhou aquilo pensando o tempo todo em Dev, em como, apenas quinze minutos antes, ele havia posto os pés dela sobre os ombros, pressionado seus joelhos no peito e dito que nunca se cansava dela.

Tinham se conhecido uma semana antes, na Filene. Ela estava lá no horário de almoço, comprando meia-calça com desconto na Basement. Depois pegou o elevador para a parte principal da loja, para o departamento de cosméticos, onde sabonetes e cremes eram expostos como joias, e sombras para olhos e pós rebrilhavam como borboletas por trás do vidro protetor. Embora Miranda nunca tivesse comprado nada além de batom, gostava de passear pelo labirinto apertado, confinado, que lhe era familiar de um jeito que o resto de Boston ainda não era. Gostava de ter de pedir passagem entre as mulheres plantadas em cada canto, que espirravam sprays de perfume em cartões e os sacudiam no ar; às vezes, dias depois ela encontrava um cartão dobrado no bolso do casaco e o aroma rico, ainda ligeiramente preservado, a aquecia enquanto esperava pelo trem expresso T nas manhãs frias.

Nesse dia, ao parar para cheirar um dos cartões mais agradáveis, Miranda notou um homem parado em um dos balcões. Tinha na mão um papel coberto com escrita feminina, precisa. Uma vendedora deu uma olhada no papel e começou a abrir gavetas. Pegou um sabonete retangular numa embalagem preta, uma máscara hidratante, um frasco de gotas de renovação celular e dois tubos de creme facial. O homem era queimado de sol, tinha pelos pretos visíveis nos nós dos dedos. Usava camisa rosa flamingo, terno azul-marinho, sobretudo de pelo de camelo com botões de couro reluzentes. Para pagar, ele tirou as luvas de couro de porco. Da carteira borgonha saíram notas estalando de novas. Não usava aliança.

— O que vai querer, querida? — a vendedora perguntou a Miranda. Ela olhou por cima dos óculos de aro de tartaruga, avaliando a pele de Miranda.

Miranda não sabia o que queria. Tudo o que sabia era que não queria que o homem fosse embora. Ele parecia se deter junto com a vendedora, à espera de que ela dissesse alguma coisa. Ela olhou alguns frascos, uns baixos, outros altos, arrumados numa bandeja oval, como uma família posando para uma fotografia.

— Um creme — Miranda acabou dizendo.

— Quantos anos você tem?

— Vinte e dois.

A vendedora assentiu com a cabeça, abriu um frasco fosco. — Isto aqui pode parecer um pouco mais pesado do que o que você usa, mas eu começaria já. Todas as suas rugas vão se formar aos vinte e cinco anos. Depois disso elas começam a aparecer.

Enquanto a vendedora espalhava o creme no rosto de Miranda, o homem ficou olhando. Enquanto Miranda aprendia o jeito certo de aplicar o creme, com gestos rápidos de baixo para cima, começando da base do pescoço, ele girava o carrossel de batons. Apertou um frasco que esguichava gel contra celulite e massageou no dorso da mão sem luva. Abriu um frasco, inclinou-se e chegou tão perto que uma gota do creme marcou seu nariz.

Miranda sorriu, mas sua boca estava escondida pelo grande pincel com que a vendedora espanava seu rosto.

— Este blush é o Número Dois — disse a mulher. — Dá um colorido.

Miranda balançou a cabeça, olhando seu reflexo em um dos espelhos inclinados em cima do balcão. Tinha olhos prateados, a pele pálida como papel, e o contraste com o cabelo tão escuro e brilhante como café expresso fazia as pessoas a descreverem como marcante, se não bonita. A cabeça era estreita, oval, e subia num ponto proeminente. Os traços também eram estreitos, as narinas tão esguias que parecia que ela as havia apertado com um prendedor de roupas. Seu rosto agora brilhava, rosado nas faces, escurecido abaixo das sobrancelhas. Seus lábios cintilavam.

O homem também estava olhando no espelho, limpando depressa o creme do nariz. Miranda se perguntou de onde ele seria. Achou que podia ser espanhol ou libanês. Quando ele abriu outro frasco e disse, para ninguém em particular: — Este aqui tem cheiro de abacaxi —, ela detectou apenas um vestígio de sotaque.

— Mais alguma coisa hoje? — a vendedora perguntou, pegando o cartão da mão de Miranda.

— Não, obrigada.

A mulher embrulhou o creme em várias camadas de papel de seda vermelho.

— Vai ficar contente com este produto.

A mão de Miranda tremia ao assinar o recibo. O homem não tinha se mexido.

— Vou pôr aqui uma amostra do nosso novo gel para o contorno dos olhos — acrescentou a vendedora, entregando a Miranda uma sacolinha de compras. Ela olhou o cartão antes de devolvê-lo por cima do balcão: — Tchauzinho, Miranda.

Miranda começou a andar. Primeiro, depressa. Depois, notou as portas que davam para a Downtown Crossing e diminuiu o passo.

— Parte do seu nome é indiana — disse o homem, acertando o passo com o dela.

Ela parou, ele também, numa mesa circular com pilhas de suéteres cercados de pinhas secas e laços de veludo.

— Miranda?

— Mira. Tenho uma tia chamada Mira.

O nome dele era Dev. Trabalhava num banco de investimento daquele lado, disse, inclinando a cabeça na direção da estação South. Era o primeiro homem com bigode que Miranda achava bonito, concluiu ela.

Caminharam juntos até a estação da Park Street, passaram diante dos quiosques que vendiam cintos e bolsas baratos. Um feroz vento de janeiro estragou o repartido do cabelo dela. Quando procurava um bilhete no bolso do casaco, seus olhos toparam com a sacola dele.

— E esses são para ela?

— Quem?

— Sua tia Mira.

— São para minha mulher — ele pronunciou as palavras devagar, sustentando o olhar de Miranda. — Ela vai passar umas semanas na Índia. — Ele revirou os olhos. — É viciada nestas coisas.

De alguma forma, sem a esposa ali, não parecia tão errado. De início, Miranda e Dev passavam juntos todas as noites, quase. Ele explicou que não podia ficar a noite inteira na casa dela porque a esposa telefonava da Índia toda manhã, às seis horas, quando era quatro da tarde lá. E então ele ia embora do apartamento dela às duas, três, às vezes até às quatro da manhã, dirigindo até sua casa no subúrbio. Durante o dia, telefonava para ela de hora em hora, aparentemente, do trabalho ou de seu celular. Quando aprendeu o horário de Miranda, ele deixava uma mensagem toda tarde às cinco e meia, quando ela estava no trem de volta para o apartamento, para que, dizia ele, ouvisse sua voz assim que entrasse em casa. "Estou pensando em você", dizia na fita. "Mal posso esperar para encontrar você." Ele disse que gostava de ficar no apartamento dela, com o balcão da cozinha não mais largo que uma caixa de pão, o piso riscado, inclinado, e uma campainha no saguão que sempre fazia um som ligeiramente embaraçoso quando ele tocava. Disse que admirava o fato de ela ter mudado para Boston, onde não conhecia ninguém, em vez de ficar em Michigan, onde havia crescido e feito a faculdade. Quando Miranda disse que não tinha nada do que se admirar, que havia se mudado para Boston exatamente por essa razão, ele sacudiu a cabeça.

— Eu sei como é sentir solidão — disse, sério de repente.

E nesse momento Miranda sentiu que ele a entendia — entendia como se sentia algumas noites no trem, ou depois de assistir a um filme sozinha, ou ir à livraria para ler revistas, ou tomar uns drinques com Laxmi, que sempre tinha de encontrar o marido na estação Alewife uma ou duas horas depois. Em momentos menos sérios, Dev dizia que gostava de suas pernas serem mais compridas que o torso, algo que observara na primeira vez que ela atravessara o quarto nua.

— Você é a primeira — ele disse, admirando-a da cama. — A primeira mulher que conheço com pernas assim tão compridas.

Dev era o primeiro a lhe dizer aquilo. Ao contrário dos garotos com quem saía na faculdade, que eram apenas versões mais altas e mais pesadas que os garotos com quem saía no ensino médio, Dev era o primeiro a sempre pagar as coisas, a abrir as portas, a pegar sua mão e beijar numa mesa de restaurante. Era o primeiro a lhe trazer um buquê de flores tão imenso que ela teve de distribui-lo por todos os seus seis copos de água, o primeiro a sussurrar seu nome repetidamente quando faziam amor. Dias depois de ter se encontrado com ele, quando estava no trabalho, Miranda começou a querer uma foto dela com Dev pregada na parte interna de seu cubículo, como a de Laxmi e o marido diante do Taj Mahal. Não contou de Dev para Laxmi. Não contou a ninguém. Uma parte dela queria contar a Laxmi, mesmo que fosse apenas por Laxmi também ser indiana. Mas esses dias Laxmi estava sempre falando ao telefone com a prima, ainda acamada, cujo marido ainda se encontrava em Londres e cujo filho não estava indo à escola.

— Você tem de comer alguma coisa — Laxmi insistia. — Não pode se esquecer da saúde. — Quando não falava com a prima, era com o marido, conversas breves nas quais terminavam discutindo se iam comer frango ou carneiro no jantar. — Desculpe. — Miranda a ouviu desculpar-se a certa altura. — Essa coisa toda me deixa um pouco paranoica.

Miranda e Dev não discutiam. Iam ao cinema no Nickelodeon e se beijavam o tempo inteiro. Comiam carne de porco desfiada e pão de milho na praça Davis, um guardanapo de papel enfiado como uma gravata no colarinho da camisa de Dev. Bebiam sangria no bar de um restaurante espanhol, com uma sorridente cabeça de porco presidindo a conversa. Foram ao Museu de Belas Artes e escolheram um pôster de ninfeias para o quarto dela. Um sábado, depois de um concerto no Symphony Hall, ele mostrou a ela seu lugar favorito na cidade, o Mapparium do centro Christian Science, onde ficaram dentro de uma sala feita de painéis de vidro iluminados, que tinha a forma interna de um globo, mas que parecia a parte externa. No meio da sala havia uma ponte transparente, de forma que sentiam como se estivessem parados no centro do mundo. Dev apontou a Índia, que era vermelha e muito mais detalhada do que no mapa da *The Economist*. Ele explicou que muitos dos países, como o Sião e a Somália italiana, não existiam mais do mesmo jeito; os nomes tinham mudado. O oceano, azul como o peito de um pavão, aparecia em dois tons, dependendo da profundidade da água. Ele mostrou o ponto mais profundo da terra, com dez quilômetros, acima das ilhas Mariana. Espiando de cima da ponte, viram o arquipélago antártico a seus pés, esticaram o pescoço e viram uma gigantesca estrela de metal no alto. Quando Dev falava, sua voz ecoava loucamente no vidro, às vezes forte, às vezes macia, às vezes parecendo pousar no peito de Miranda, às vezes escapando inteiramente ao seu ouvido. Quando um grupo de turistas entrou na ponte, ela podia ouvir seus pigarros, como se estivessem ao microfone. Dev explicou que era por causa da acústica.

Miranda encontrou Londres, onde estava o marido da prima de Laxmi com a mulher que havia conhecido no avião. Pensou em qual cidade da Índia estaria a esposa de Dev. O mais distante a que

Miranda já tinha ido eram as Bahamas, uma vez, em criança. Ela procurou, mas não conseguiu encontrar as ilhas nos painéis de vidro. Quando os turistas saíram, ela e Dev voltaram a ficar sozinhos. Ele falou para ela ficar num extremo da ponte. Dev contou que, mesmo a quase dez metros um do outro, podiam se ouvir sussurrando.

— Não acredito — Miranda disse. Era a primeira vez que ela falava desde que entraram ali. E sentiu como se tivesse alto-falantes embutidos nos ouvidos.

— Vá em frente — ele insistiu, andando para trás para seu extremo da ponte. Baixou a voz a um sussurro. — Diga alguma coisa. — Ela viu seus lábios formando as palavras; ao mesmo tempo ouviu a voz dele tão claramente que parecia estar debaixo de sua pele, debaixo do casaco de inverno, tão próxima e cálida que ela se sentiu quente.

— Oi — ela sussurrou, sem saber o que mais dizer.

— Você é sexy — ele sussurrou de volta.

Na semana seguinte, no trabalho, Laxmi contou a Miranda que não era a primeira vez que o marido de sua prima tinha um caso.

— Ela resolveu deixar que ele caísse em si — Laxmi disse uma tarde quando estava se preparando para sair do escritório. — Ela diz que é por causa do menino. — Miranda esperou que Laxmi desligasse o computador. — Ele vai voltar rastejando e ela vai aceitar — disse Laxmi, sacudindo a cabeça. — Comigo não. Se meu marido sequer olhar para outra mulher, eu troco a fechadura da porta. — Ela estudou a foto pregada em seu cubículo. O marido de Laxmi estava com o braço em seu ombro, os joelhos dele inclinados em direção a ela no banco. Ela virou-se para Miranda.

— Você não trocava?

Ela fez que sim. A esposa de Dev ia voltar da Índia no dia seguinte. Nessa tarde, ele telefonou para Miranda no trabalho, para dizer que tinha de ir buscá-la no aeroporto. Prometeu que ligava assim que possível.

— Como é o Taj Mahal? — ela perguntou a Laxmi.

— O lugar mais romântico da terra — o rosto de Laxmi se iluminou com a lembrança. — Um monumento eterno ao amor.

Enquanto Dev estava no aeroporto, Miranda foi até a Basement da Filene para comprar coisas que achou que uma amante devia ter. Comprou um par de sapatos pretos de salto alto com fivelas menores que dentes de bebê. Encontrou uma combinação de cetim com as laterais abertas e um penhoar de seda até o joelho. No lugar da meia-calça que normalmente usava no trabalho, encontrou meias de náilon com costura. Procurou nas pilhas e passeou entre as araras, apertando cabide após cabide, até encontrar um vestido de noite de um tecido colante, prateado, que combinava com seus olhos, pequenas correntes fazendo as alças. Enquanto escolhia, pensava em Dev e no que ele havia dito no Mapparium. Era a primeira vez que um homem a chamava de sexy e quando ela fechava os olhos ainda sentia o sussurro dele deslizando por seu corpo, debaixo da pele. No provador, que era apenas uma sala grande, com espelhos nas paredes, encontrou um lugar ao lado de uma velha com o rosto brilhante e cabelo grisalho e fosco. A mulher estava descalça, em roupa de baixo, esticando entre os dedos a rede preta de um *collant*.

— Procure sempre os defeitos — a mulher aconselhou.

Miranda pegou a combinação de cetim com as laterais abertas. Pôs na frente do corpo.

A mulher balançou a cabeça, aprovando. — Ah, claro.

— E este? — Ergueu o vestido de noite prateado.

— Sem dúvida — disse a mulher. — Ele vai querer arrancar do seu corpo.

Miranda visualizou os dois em um restaurante no South End, onde tinham estado, e Dev pedira *foie gras* e uma sopa feita com champanhe e framboesa. Viu a si mesma no vestido de noite e Dev em um de seus ternos, beijando a mão dela por cima da mesa. Só que, quando Dev foi visitá-la, num domingo à tarde, muitos dias depois da última vez que tinham se visto, ele estava com roupa de ginástica. Depois que a esposa voltou, essa era a desculpa dele: aos domingos vinha de carro a Boston e ia correr ao longo do Charles. No primeiro domingo, ela abriu a porta com o penhoar até os joelhos, mas Dev nem notou; levou-a para a cama, de moletom e tênis, e entrou nela sem dizer uma palavra. Depois, ela vestiu o penhoar para atravessar o quarto e ir buscar para ele um pires para a cinza do cigarro, mas ele reclamou que o penhoar o impedia de ver suas pernas compridas e pediu que ela o tirasse. Então, no domingo seguinte, ela não se deu ao trabalho. Usou jeans. Guardou a lingerie no fundo de uma gaveta, atrás das meias e da roupa de baixo de todo dia. O vestido de noite prateado ela pendurou no armário, a etiqueta balançando da costura. Muitas vezes, de manhã, o vestido estava amontoado no fundo; as alças de corrente sempre escorregavam do cabide metálico.

Mesmo assim, Miranda esperava os domingos. De manhã, ia à delicatéssen, comprava uma baguete e pequenos recipientes com coisas que Dev gostava de comer, como arenque em conserva, salada de batata, pão de pesto e queijo mascarpone. Comiam na cama, pegando os arenques com os dedos e cortando a baguete com as mãos. Dev contava histórias de sua infância, quando voltava da escola e tomava suco de manga que lhe era servido numa bandeja, depois jogava críquete à beira de um lago, todo vestido de branco. Contou que, aos dezoito anos, foi mandado para uma faculdade no norte do estado de Nova York, durante uma coisa chamada Emergência, e que levou anos para conseguir acompanhar a pronúncia americana nos filmes, apesar de seu ensino médio ter sido em inglês. Enquanto falava, fumou três cigarros, esmagando-os no pires do lado dela da cama. Às vezes, perguntava coisas, como quantos amantes tinha tido (três), quantos anos tinha na primeira vez (dezenove). Depois do almoço, fizeram amor, os lençóis cheios de farelos, e Dev tirou um cochilo de doze minutos. Miranda nunca tinha conhecido um adulto que cochilasse, mas Dev disse que era algo que sempre fizera na Índia, onde o calor era tanto que as pessoas não saíam de casa até o sol baixar.

— Além disso, é a chance de dormir com você — murmurou, matreiro, circundando o corpo dela com os braços, como um grande bracelete.

Só Miranda não dormia nunca. Olhava o relógio na mesa de cabeceira, ou apertava o rosto contra os dedos de Dev, entrelaçados com os dela, cada um deles com meia dúzia de pelos nas falanges. Depois de seis minutos, ela se virava para olhar para ele, suspirando e se espreguiçando, para testar se ele estava mesmo dormindo. Sempre estava. As costelas eram visíveis através da pele quando respirava, mas mesmo assim começava a desenvolver uma barriguinha. Ele reclamava dos pelos nos ombros, mas Miranda o achava perfeito e se recusava a imaginá-lo de qualquer outro jeito.

Ao fim de doze minutos, Dev abria os olhos como se estivesse acordado o tempo todo, sorria para ela, cheio de um contentamento que ela queria sentir. "Os melhores doze minutos da semana." Ele suspirava, passava a mão pela parte de trás das panturrilhas dela. Então saía da cama, vestia a calça de moletom, amarrava os tênis. Ia ao banheiro, escovava os dentes com o indicador, algo que dizia a ela que todos os indianos sabiam fazer, para se livrar da fumaça na boca. Quando ela o beijava ao se despedir, às vezes sentia seu próprio cheiro no cabelo dele. Mas sabia que a desculpa dele, que tinha passado a tarde correndo, permitiria que tomasse uma ducha assim que chegasse em casa, antes de mais nada.

***

Além de Laxmi e Dev, os únicos indianos que Miranda conhecera era uma família no bairro onde havia crescido, de sobrenome Dixit. Para grande divertimento das crianças do bairro, inclusive Miranda, mas não para os filhos dos Dixit, o sr. Dixit corria toda noite pelas ruas planas e curvas do conjunto habitacional com a camisa e a calça de uso diário e, única concessão a equipamento esportivo, um par de *keds* baratos. Todo fim de semana, a família — mãe, pai, dois meninos e uma menina — se apertava no carro e saía, ninguém sabia para onde. Os pais dela reclamavam que o sr. Dixit não fertilizava direito seu gramado, não rastelava as folhas na hora certa, e concordavam que a casa dos Dixit, única com painéis de vinil, depunha contra o charme do bairro. As mães nunca convidavam a sra. Dixit para ficar com elas em torno da piscina dos Armstrong. Ao esperar o ônibus escolar com as crianças Dixit apartadas, as outras crianças diziam baixinho: "Os Dixit *dig shit*"* e caíam na risada.

Houve um ano em que todas as crianças do bairro foram convidadas para o aniversário da filha dos Dixit. Miranda lembrava do aroma pesado de incenso e cebolas na casa, de uma pilha de sapatos junto à porta de entrada. Mas acima de tudo se lembrava de um pedaço de tecido, mais ou menos do tamanho de uma fronha, pendurado em uma vara embaixo da escada. Era a pintura de uma mulher nua com o rosto vermelho em forma de escudo de cavaleiro. Tinha enormes olhos brancos puxados para as têmporas e apenas pontos como pupilas. Dois círculos, com os mesmos pontos no centro, indicavam os seios. Em uma das mãos brandia uma adaga. Com um pé esmagava um homem que se retorcia no chão. Em torno de seu corpo havia um colar composto de cabeças ensanguentadas, amarradas como um cordão de pipocas. Ela mostrava a língua a Miranda.

* Trocadilho intraduzível: *dig shit*, "cava merda", soa muito próximo do nome "Dixit". [N.T.]

— É a deusa Kali — a sra. Dixit explicou de forma breve, ajeitando a vara ligeiramente para endireitar a figura. As mãos da sra. Dixit estavam pintadas com hena num complexo desenho de zigue-zagues e estrelas. — Venha, por favor, hora do bolo.

Miranda, então com nove anos, ficara assustada demais para comer o bolo. Durante os meses seguintes, tinha medo até de andar na rua do lado da casa dos Dixit, por onde tinha de passar duas vezes por dia, para ir ao ponto do ônibus escolar e depois de volta para casa. Durante algum tempo, ela até prendia a respiração até chegar ao gramado seguinte, do mesmo jeito que fazia quando o ônibus escolar passava na frente de um cemitério.

Agora sentia vergonha disso. Agora, quando ela e Dev faziam amor, Miranda fechava os olhos e via desertos e elefantes, pavilhões de mármore flutuando acima de lagos debaixo da lua cheia. Um sábado, não tendo mais nada para fazer, ela foi a pé até a Central Square, a um restaurante indiano, e pediu um prato de frango *tandoori*. Enquanto comia, tentou memorizar as expressões impressas na parte de baixo do menu, como "delicioso", "água" e "a conta, por favor". Não guardou na cabeça as expressões, de forma que começou a parar de vez em quando no setor de língua estrangeira de uma livraria na Kenmore Square onde estudou o alfabeto bengali na série Aprenda Sozinho. Uma vez, chegou a ponto de tentar transcrever a parte indiana de seu nome, "Mira", em sua agenda, a mão se deslocando em direções desconhecidas, parando, virando e prendendo a caneta quando ela menos esperava. Seguindo as flechas do livro, ela desenhou uma barra da esquerda para a direita na qual as letras ficavam penduradas; uma delas parecia mais um número que uma letra, outra parecia um triângulo de lado. Precisou de várias tentativas para conseguir que as letras de seu nome parecessem com as letras de amostra do livro e mesmo assim não tinha certeza se havia escrito Mira ou Mara. Para ela, era um rabisco, mas em algum lugar do mundo, entendeu chocada, queria dizer alguma coisa.

***

Durante a semana não era tão ruim. O trabalho a mantinha ocupada e ela e Laxmi começaram a almoçar juntas num restaurante indiano novo virando a esquina, momentos em que Laxmi atualizava os acontecimentos do casamento da prima. Às vezes, tentava mudar de assunto; isso fazia Miranda se sentir como uma vez, na faculdade, em que ela e o namorado na época saíram sem pagar de uma casa de panquecas, só para ver se conseguiam se safar. Mas Laxmi não falava de outra coisa.

— Se eu fosse ela, ia direto para Londres e dava um tiro neles — anunciou um dia. Quebrou na metade um *papari* e molhou no *chutney*. — Não sei como ela consegue simplesmente esperar desse jeito.

Miranda sabia esperar. À noite, ficava sentada a sua mesa de jantar e pintava as unhas com esmalte transparente, comia salada direto da saladeira, via televisão e esperava o domingo. Sábado era pior, porque no sábado parecia que o domingo não ia chegar nunca. Um sábado, quando Dev telefonou, tarde da noite, ela ouviu pessoas rindo e conversando ao fundo, tantas que perguntou se ele estava em algum concerto. Mas ele estava apenas telefonando de sua casa no subúrbio.

— Não estou ouvindo muito bem — disse ele. — Estamos com convidados. Está com saudade de mim?

Ela olhou a tela da televisão, uma série engraçada que ela pusera no mudo com o controle remoto quando o telefone tocou. Ela o imaginou sussurrando ao celular, em um quarto do andar de cima, a mão na maçaneta da porta, o corredor cheio de convidados.

— Miranda, está com saudade de mim? — ele voltou a perguntar. Ela disse que sim.

No dia seguinte, quando Dev veio visitá-la, Miranda perguntou como era sua mulher. Ficou nervosa ao fazer a pergunta, esperando que ele terminasse de fumar seu último cigarro, esmagando a ponta com uma torcida firme no pires. Ela se perguntava se os dois brigavam. Mas Dev não se surpreendeu com a pergunta. Contou a ela, espalhando patê de peixe numa bolacha, que sua esposa parecia uma atriz de Bombaim chamada Madhuri Dixit.

Por um instante, o coração de Miranda parou. Mas não, a menina dos Dixit tinha outro nome, alguma coisa começada com P. Mesmo assim, pensou que a atriz e a filha dos Dixit podiam ser parentes. Tinha sido uma moça comum, com o cabelo preso em duas tranças durante todo o ensino médio.

Poucos dias depois, Miranda foi a um mercadinho indiano na Central Square que também alugava vídeos. A porta se abriu com um complicado tinir de sinos. Era hora do jantar e ela era a única cliente. Havia um vídeo passando numa televisão pendurada num canto da loja: uma fileira de moças com calças de harém ondeando os quadris em sincronia numa praia.

— Posso ajudar? — perguntou o homem no caixa. Ele estava comendo uma *samosa*, que gotejava algum molho marrom-escuro num prato de papel. Atrás do balcão de vidro, à altura da cintura dele, havia bandejas com mais *samosas* gordas e o que pareciam pedaços de doce de leite pálidos, em forma de losango, cobertos com papel de alumínio, e uns pasteizinhos laranja brilhante boiando na calda. — Quer algum vídeo?

Miranda abriu sua agenda, onde havia escrito "Mottery Dixit". Procurou entre os vídeos das prateleiras atrás do balcão. Viu mulheres com saias abertas até o quadril e tops amarrados entre os seios como bandanas. Algumas encostadas a uma parede de pedra ou a uma árvore. Algumas eram bonitas, no estilo de beleza das mulheres que dançavam na praia, com olhos maquiados com *kohl* e cabelos pretos compridos. Ela sabia que Madhuri Dixit também era bonita.

— Temos versões legendadas, dona — o homem continuou. Ele limpou depressa os dedos na camisa e pegou três fitas.

— Não — disse Miranda. — Muito obrigada, não. — Circulou pela loja, estudando as prateleiras cheias de pacotes e latas sem rótulos. A geladeira repleta de sacos de pão sírio e vegetais que ela não reconhecia. A única coisa que reconhecia era a prateleira com fileiras e fileiras de sacos de Hot Mix que Laxmi sempre comia. Pensou em comprar alguns para Laxmi, depois hesitou, pensando em como explicar o que estava fazendo num mercadinho indiano.

— Muito ardido — disse o homem sacudindo a cabeça, os olhos passeando pelo corpo de Miranda. — Ardido demais para a senhora.

Em fevereiro, o marido da prima de Laxmi ainda não havia recuperado o juízo. Ele voltara a Montreal, discutira violentamente com a esposa durante duas semanas, fizera duas malas e voltara a Londres. Queria o divórcio.

Sentada em seu cubículo, Miranda ouvia Laxmi dizer para a prima que havia homens melhores no mundo esperando a hora de entrar em cena. No dia seguinte, a prima disse que ela e o filho iam para a casa dos pais dela na Califórnia, para tentar se recuperar. Laxmi a convenceu a passar um fim de semana em Boston.

— Variar um pouco de lugar vai te fazer bem — Laxmi insistiu, delicadamente —, além do quê, não nos vemos há anos.

Miranda olhou seu telefone, esperando que Dev ligasse. Há quatro dias não conversavam. Ouviu Laxmi ligando para informações, pedindo o número de um salão de beleza.

— Alguma coisa relaxante — Laxmi pediu. Marcou massagens, cuidados faciais, manicure e pedicure. Depois, reservou mesa para almoço no Four Seasons. Em sua determinação de agradar a prima, Laxmi esquecera do menino. Batucou com os nós dos dedos na parede laminada.

— Está ocupada no sábado?

***

O menino era magro. Levava uma mochila amarela nas costas, calça cinza com padrão espinha de peixe, suéter vermelho com decote em V e sapatos pretos de couro. O cabelo cortado com uma franja farta sobre os olhos, que tinham olheiras escuras. Foi a primeira coisa que Miranda notou. Faziam com que ele parecesse cansado, como se fumasse muito e dormisse pouco, apesar do fato de ter apenas sete anos. Tinha nas mãos um grande caderno de desenho com espiral. Seu nome era Rohin.

— Pergunte uma capital — ele disse, olhando para Miranda.

Ela olhou de volta. Eram oito e meia da manhã de sábado. Ela tomou um gole de café.

— Uma o quê?

— É uma brincadeira que ele anda fazendo — a prima de Laxmi explicou. Era magra como o filho, rosto comprido e as mesmas olheiras escuras. O casaco cor de ferrugem parecia pesado em seus ombros. O cabelo preto, com alguns fios brancos nas têmporas, estava puxado para trás, como o de uma bailarina. — Você diz um país e ele fala a capital.

— Devia tê-lo ouvido no carro — disse Laxmi. — Já decorou todas da Europa.

— Não é brincadeira — disse Rohin. — Estou disputando com um menino da escola. Estamos disputando para decorar todas as capitais. Eu vou ganhar dele.

Miranda balançou a cabeça.

— Tudo bem. Qual é a capital da Índia?

— Essa não vale. — Ele se afastou, balançando os braços como um soldadinho de brinquedo. Depois voltou até a prima de Laxmi e pendurou-se num bolso do sobretudo dela. — Pergunte uma difícil.

— Senegal — ela disse.

— Dakar! — Rohin exclamou triunfante e começou a correr em círculos cada vez mais amplos. Acabou correndo para dentro da cozinha. Miranda ouviu a geladeira abrir e fechar.

— Rohin, não toque em nada sem permissão — a prima de Laxmi falou, preocupada. Conseguiu dar um sorriso a Miranda. — Não se preocupe, ele vai dormir daqui a algumas horas. Obrigada por ficar com ele.

— Nós voltamos às três — disse Laxmi, desaparecendo com a prima no corredor. — Parei em fila dupla.

Miranda passou a corrente na porta. Foi até a cozinha encontrar Rohin, mas ele estava agora na sala, à mesa de jantar, ajoelhado em uma das cadeiras de lona de diretor. Ele abriu a mochila, empurrou o estojo de manicure de Miranda para um lado da mesa e espalhou seus lápis de cor na superfície. Miranda ficou olhando por cima do ombro dele. Viu quando pegou um lápis azul e desenhou um avião.

— Que lindo — ela disse. Ele não respondeu, então ela foi até a cozinha pegar um café.

— Um pouco para mim, por favor — Rohin falou.

Ela voltou à sala.

— Um pouco de quê?

— De café. Tem bastante no bule, que eu vi.

Ela foi até a mesa e sentou-se na frente dele. Às vezes, ele quase se punha de pé para pegar outro lápis. Mal marcava a cadeira de lona.

— Você é muito novo para tomar café.

Rohin inclinou-se sobre o bloco de desenho, de forma que o peito e os ombros minúsculos quase tocavam o papel, a cabeça inclinada de lado.

— A aeromoça me deu café — disse ele. — Ela fez com leite e um monte de açúcar. — Ele endireitou o corpo, revelando um rosto de mulher ao lado do avião, com cabelo comprido ondulado e olhos como asteriscos. — O cabelo dela era mais brilhante — ele concluiu, acrescentando: — Meu pai também encontrou uma moça bonita no avião. — Olhou para Miranda. Seu rosto ficou sombrio quando viu que ela tomava um gole. — Não posso tomar nem um pouquinho? Deixa?

Ela se perguntou se apesar da expressão comportada, suplicante, o menino seria do tipo que tem ataques. Imaginou-o lhe dando chutes com os sapatos de couro, pedindo café aos gritos, gritando e chorando até sua mãe e Laxmi voltarem para pegá-lo. Foi à cozinha e preparou uma caneca como ele havia pedido. Escolheu uma caneca de que não gostava muito, para o caso de ele derrubá-la.

— Obrigado — ele disse, quando ela pôs a caneca em cima da mesa. Ele tomou em goles curtos, segurando a caneca com ambas as mãos.

Miranda ficou sentada a seu lado enquanto ele desenhava, mas quando tentou passar uma camada de seu esmalte transparente nas unhas ele protestou. Tirou da mochila um almanaque em brochura e pediu que ela o questionasse. Os países estavam organizados por continente, seis em cada página, com as capitais em maiúsculas, seguidos de um pequeno texto com população, governo e outras estatísticas. Miranda virou para a página da África e percorreu a lista.

— Mali? — perguntou.

— Bamako — ele respondeu instantaneamente.

— Malawi.

— Lilongwe.

Ela lembrou que tinha procurado a África no Mapparium. Lembrou que a parte gorda era verde.

— Continue — Rohin falou.

— Mauritânia.

— Nouakchott.

— Maurício.

Ele parou, apertou os olhos, abriu de novo, derrotado.

— Não lembro.

— Port Louis — ela falou.

— Port Louis — ele começou a repetir baixinho insistentemente, como um cântico.

Quando chegaram ao último país da África, Rohin disse que queria assistir a desenhos e pediu a Miranda que assistisse com ele. Quando os desenhos terminaram, ele foi com ela até a cozinha e ficou a seu lado enquanto ela fazia mais café. Ele não a seguiu quando foi ao banheiro minutos depois, mas quando ela abriu a porta assustou-se ao vê-lo parado do lado de fora.

— Precisa ir ao banheiro?

Ele sacudiu a cabeça, mas entrou no banheiro mesmo assim. Baixou a tampa da privada, subiu em cima e examinou a prateleira de vidro estreita em cima da pia, onde Miranda deixava escova de dentes e maquiagem.

— Para que é isto aqui? — ele perguntou, pegando a amostra de gel para olhos que ela havia ganhado no dia em que conhecera Dev.

— Para inchaço.

— O que é inchaço?

— Aqui — ela explicou, apontando.

— Depois que você chorou?

— Acho que sim.

Rohin abriu o tubo e cheirou. Apertou uma gota num dedo e esfregou na mão.

— Pinica. — Inspecionou cuidadosamente o dorso da mão, como se esperasse uma mudança de cor. — Minha mãe tem inchaço. Ela diz que é do frio, mas na verdade é porque ela chora, às vezes horas e horas. Às vezes, durante o jantar inteiro. Às vezes, ela chora tanto que fica com o olho inchado feito um sapo.

Miranda pensou se devia dar comida a ele. Na cozinha, encontrou um saco de bolinhos de arroz e um pouco de alface. Propôs a ele que saíssem para comprar alguma coisa na delicatéssen, mas Rohin disse que não estava com muita fome e aceitou um bolinho de arroz.

— Você come um também — ele disse. Sentaram-se à mesa, os bolinhos de arroz entre eles. Ele abriu o bloco de desenho numa página nova. — Você desenha.

Ela escolheu um lápis azul.

— Desenho o quê?

Ele pensou um pouco.

— Já sei — disse. Pediu a ela que desenhasse as coisas da sala: o sofá, as cadeiras de lona, a televisão, o telefone. — Assim eu posso lembrar.

— Lembrar o quê?

— O dia que passei junto com você. — Ele pegou outro bolinho de arroz.

— Por que quer lembrar?

— Porque a gente nunca mais vai se ver, nunca mais.

A precisão da frase a deixou perplexa. Ela olhou para ele, sentiu-se ligeiramente deprimida. Rohin não parecia deprimido. Ele bateu na página.

— Desenhe.

Então ela desenhou os objetos o melhor possível: o sofá, as cadeiras de lona, a televisão, o telefone. Ele ao lado dela, tão perto que às vezes era difícil para ela ver o que estava fazendo. Ele pôs a mãozinha escura sobre a dela.

— Agora eu.

Ela entregou a ele o lápis.

Ele sacudiu a cabeça.

— Não, você desenha eu.

— Eu não sei — disse ela. — Não vai ficar parecido.

A expressão amuada começou a tomar conta do rosto de Rohin outra vez, como no momento em que ela recusara lhe servir o café.

— Por favor?

Ela desenhou o rosto dele, o contorno da cabeça, a franja densa. Ele ficou sentado absolutamente imóvel, com uma expressão formal, melancólica, o olhar fixo de lado. Miranda queria fazer um desenho bem parecido. Sua mão se movia junto com os olhos, de modo desconhecido, como naquele dia na livraria em que transcrevera seu nome com letras bengali. Não ficou nada parecido com ele. Estava no meio do desenho do nariz, quando ele se afastou da mesa.

— Está chato — ele anunciou, indo para o quarto dela. Ela ouviu que abriu a porta, abriu as gavetas de sua escrivaninha e tornou a fechar.

Quando ela foi atrás, ele estava dentro do armário. Um pouco depois saiu, o cabelo despenteado, segurando o vestido de noite.

— Este aqui estava no fundo.

— Ele cai do cabide.

Rohin olhou o vestido, depois para o corpo de Miranda.

— Vista.

— Como é?

— Vista.

Não havia razão para pôr o vestido. Exceto no provador da Filene, ela nunca havia usado o vestido, e enquanto estivesse com Dev sabia que nunca usaria. Sabia que nunca iria a restaurantes onde ele pudesse pegar sua mão e beijar por cima da mesa. Iam se encontrar em seu apartamento, aos domingos, ele de moletom, ela de jeans. Ela pegou o vestido da mão de Rohin, deu uma sacudida, embora o tecido colante nunca amassasse. Procurou um cabide livre no armário.

— Por favor, vista — Rohin pediu, parado de repente atrás dela. Ele apertou o rosto em seu corpo, abraçando a cintura com os dois braços fininhos. — Por favor!

— Tudo bem — ela disse, surpresa com a força do abraço dele.

Ele sorriu, satisfeito, e sentou-se na beira da cama.

— Você tem de esperar lá fora — ela disse, apontando a porta. — Eu saio quando estiver pronta.

— Minha mãe sempre tira a roupa na minha frente.

— Tira?

Rohin fez que sim.

— Ela nem pega do chão depois. Deixa tudo no chão do lado da cama, tudo amontoado.

— Um dia ela dormiu no meu quarto — ele continuou. — Disse que era mais gostoso que a cama dela, agora que meu pai foi embora.

— Eu não sou sua mãe — Miranda disse, levantando-o da cama pelas axilas. Quando ele se recusou a ficar de pé, ela o carregou. Era mais pesado do que ela esperava e agarrou-se a ela, as pernas firmes em torno de seu quadril, a cabeça apoiada em seu peito. Ela o pôs no corredor e fechou a porta. Como precaução extra, passou a chave. Pôs o vestido, olhando no espelho de corpo inteiro pregado atrás da porta. As meias soquete pareciam bobas, então ela abriu uma gaveta e encontrou as meias de náilon. Procurou no fundo do armário e calçou os sapatos de salto alto com fivelas. As alças de corrente do vestido eram leves como clipes de papel em suas clavículas. Estava um pouco folgado para ela. Não conseguia fechar o zíper sozinha.

Rohin começou a bater na porta:

— Posso entrar agora?

Ela abriu a porta. Rohin estava com o almanaque na mão, murmurando baixinho alguma coisa. Arregalou os olhos quando a viu.

— Preciso que me ajude com o zíper — ela disse. E sentou na beira da cama.

Rohin fechou o zíper até em cima, então Miranda se pôs de pé e girou. Rohin baixou o almanaque:

— Você é sexy — declarou.

— O que você disse?

— Você é sexy.

Miranda voltou a sentar. Embora não quisesse dizer nada, seu coração deu um salto. Rohin provavelmente se referia a todas as mulheres como sexy. Ele provavelmente tinha ouvido a palavra na televisão, ou visto na capa de uma revista. Ela se lembrou do dia no Mapparium, ela parada na ponte do outro lado de Dev. Naquele momento, ela achou que sabia o que a palavra queria dizer. Naquele momento, fazia sentido.

Miranda cruzou os braços no peito e olhou Rohin nos olhos.

— Me diga uma coisa.

Ele ficou quieto.

— O que isso quer dizer?

— O quê?

— Esta palavra: "sexy". O que quer dizer?

Ele baixou os olhos, tímido de repente.

— Não posso dizer.

— Por que não?

— É segredo. — Ele apertou os lábios com tanta força que uma parte deles ficou branca.

— Me conte o segredo. Eu quero saber.

Rohin sentou na cama ao lado de Miranda e começou a chutar a beira do colchão com o calcanhar dos sapatos. Riu, nervoso, o corpo magro se retorceu como se estivessem lhe fazendo cócegas.

— Me diga — Miranda pediu. Ela se inclinou e segurou seus tornozelos, imobilizando seus pés.

Rohin olhou para ela, os olhos apertados. Lutava para chutar o colchão de novo, mas Miranda o prendia. Ele caiu de costas na cama, as costas retas como uma tábua. Pôs as mãos em concha em torno da boca e sussurrou:

— Quer dizer amar alguém que a gente não conhece.

Miranda sentiu as palavras de Rohin por dentro da pele, do mesmo modo que sentira as de Dev. Mas, em vez de ficar quente, ficou amortecida. Lembrou do que sentiu no mercadinho indiano, no momento em que entendeu, sem nem ao menos olhar uma foto, que Madhuri Dixit, com quem a esposa de Dev parecia, era bonita.

— Foi meu pai que falou — Rohin continuou. — Ele sentou do lado de alguém que ele não conhecia, alguém sexy, e agora ele ama ela em vez da minha mãe.

Ele tirou os sapatos e colocou-os lado a lado no chão. Em seguida, afastou a colcha e se enfiou na cama de Miranda com o almanaque. Um minuto depois, o livro tinha caído de suas mãos e ele fechou os olhos. Miranda ficou olhando o menino dormir, a colcha subindo e descendo com sua respiração. Ele não acordou depois de doze minutos, como Dev, nem depois de vinte. Não abriu os olhos quando ela tirou o vestido de noite prateado e pôs de volta o jeans, guardou de volta o sapato de salto alto no armário, enrolou as meias e devolveu à gaveta.

Depois de guardar tudo, sentou-se na cama. Inclinou-se para o menino, tão perto a ponto de ver um pouco do pó branco dos bolinhos de arroz grudado nos cantos de sua boca, e ergueu o almanaque. Ao virar as páginas, imaginou as brigas que Rohin devia ter ouvido em sua casa em Montreal. "Ela é bonita?", a mãe devia ter perguntado ao pai, usando o mesmo roupão de banho que vestia havia semanas, o próprio rosto bonito ficando maldoso. "É sexy?" O pai devia ter negado de início, tentando mudar de assunto. "Me diga", a mãe de Rohin deve ter gritado, "me diga se ela é sexy." No fim, o pai deve ter admitido que era e a mãe chorado e chorado, numa cama cercada por uma confusão de roupas, os olhos inchados como os de um sapo. "Como você pode", ela deve ter perguntado, soluçando, "como pode amar uma mulher que nem conhece?"

Ao imaginar a cena, Miranda começou a chorar um pouco. No Mapparium aquele dia, todos os países pareciam tão próximos que dava para tocá-los e a voz de Dev ressoava loucamente no vidro. Do outro lado da ponte, a dez metros, suas palavras tinham chegado a seus ouvidos tão próximas e cheias de calor que durante vários dias se aninharam debaixo da pele. Miranda chorou mais, não conseguia parar. Mas Rohin ainda estava dormindo. Ela adivinhou que ele agora devia estar acostumado a dormir com o som de uma mulher chorando.

No domingo, Dev telefonou para dizer a Miranda que estava a caminho.

— Estou quase pronto. Chego aí às duas.

Ela estava vendo um programa de culinária na televisão. Uma mulher apontava uma fileira de maçãs, explicando qual era a melhor para assar.

— Não venha hoje.

— Por que não?

— Estou resfriada — ela mentiu. Não estava longe da verdade; chorar a deixara congestionada. — Passei a manhã inteira na cama.

— Você está mesmo fanhosa. — Houve uma pausa. — Precisa de alguma coisa?

— Está tudo em ordem.

— Tome muito líquido.

— Dev?

— Diga, Miranda.

— Lembra do dia em que fomos ao Mapparium?

— Claro.

— Lembra como cochichamos um para o outro?

— Lembro — Dev sussurrou, brincando.

— Lembra o que você me disse?

Houve uma pausa.

— Vamos voltar para sua casa. — Ele riu, baixo. — Domingo que vem, então?

No dia anterior, como tinha chorado, Miranda acreditou que nunca esqueceria de nada, nem mesmo de como era seu nome escrito em bengalês. Tinha adormecido do lado de Rohin e quando acordou ele estava desenhando um avião no exemplar da *The Economist* que ela havia conservado escondida debaixo da cama.

— Quem é Devajit Mitra? — ele perguntou, olhando a etiqueta de endereço.

Miranda imaginou Dev de moletom e tênis, rindo ao telefone. Dentro de um momento, ele ia encontrar a mulher no andar de baixo e dizer que não ia correr. Tinha estirado um músculo no alongamento, diria, sentando para ler o jornal. Independente de sua vontade, ela sentiu falta dele. Resolveu que ia se encontrar com ele mais um domingo, talvez dois. Depois diria as coisas que sabia o tempo todo: que não era justo com ela, nem com a esposa, que as duas mereciam melhor tratamento, que não fazia sentido prolongar aquilo.

Mas no domingo seguinte nevou tanto, tanto, que Dev não pôde dizer para a esposa que ia correr no Charles. No domingo seguinte, a neve tinha derretido, mas Miranda tinha combinado de ir ao cinema com Laxmi e, quando disse isso a Dev pelo telefone, ele não pediu para ela desmarcar. No terceiro domingo, ela se levantou e saiu para uma caminhada. Estava frio, mas ensolarado, e ela foi até a avenida Commonwealth, passou pelos restaurantes onde Dev a havia beijado, depois foi até o centro Christian Science. O Mapparium estava fechado, mas ela comprou um café e sentou-se num dos bancos da praça diante da igreja, observando as colunas gigantescas, o domo imenso e o céu limpo, azul, acima da cidade.

A SENHORA SEN

Fazia quase um mês que Eliot estava indo à sra. Sen, desde que a escola começara, em setembro. Um ano antes, quem cuidava dele era uma estudante universitária chamada Abby, uma moça magra, sardenta, que lia livros sem figura na capa e se recusava a preparar para Eliot qualquer comida que levasse carne. Antes dela era uma mulher mais velha, a sra. Linden, que o cumprimentava toda tarde, quando ele voltava para casa, tomando café de uma garrafa térmica e fazendo palavras cruzadas enquanto Eliot brincava sozinho. Abby recebeu seu diploma e mudou para outra universidade, e a sra. Linden foi despedida, no fim, porque a mãe de Eliot descobriu que a garrafa térmica da sra. Linden continha mais uísque que café. A sra. Sen veio a eles em linda caligrafia de esferográfica, num cartão pregado na entrada do supermercado: "Esposa de professor, responsável e atenciosa, posso cuidar de seu filho em minha casa". Pelo telefone, a mãe de Eliot disse à sra. Sen que as *baby-sitters* anteriores vinham à casa deles.

— Eliot tem onze anos. Ele se alimenta e se diverte sozinho, só quero é um adulto na casa, no caso de uma emergência. — Mas a sra. Sen não sabia dirigir.

— Como pode ver, nossa casa é bem limpa, muito segura para uma criança — dissera a sra. Sen na primeira visita. Era um apartamento da universidade, localizado no limiar do campus. O saguão de entrada era ladrilhado com quadrados bege sem graça, com uma fileira de caixas de correio com fitas de identificação ou etiquetas brancas. Dentro, sombras cruzadas produzidas por um aspirador de pó haviam ficado congeladas num carpete felpudo, cor de pera. Pedaços descombinados de outros carpetes ficavam na frente do sofá e das cadeiras, como capachos de boas-vindas individuais prevendo onde os pés das pessoas pousariam no solo. Abajures em forma de tambor ladeavam o sofá, ainda embrulhado no plástico do fabricante. A televisão e o telefone eram cobertos por pedaços de tecido amarelo com bordas onduladas. Havia chá em uma chaleira cinzenta alta, ao lado de canecas e biscoitos de manteiga em uma bandeja. O sr. Sen, um homem baixo, atarracado, com olhos ligeiramente protuberantes e óculos com armação preta retangular, também estava lá. Ele cruzou as pernas com algum esforço e segurava a caneca com as duas mãos, muito próxima da boca, mesmo quando não estava bebendo. Nem o sr. nem a sra. Sen usavam sapatos; Eliot notou vários pares enfileirados numa pequena estante ao lado da porta de entrada. Usavam sandálias de dedo.

— O senhor Sen é professor de matemática na universidade — disse a sra. Sen à guisa de apresentação, como se fossem apenas conhecidos distantes.

Ela tinha cerca de trinta anos. Havia um pequeno espaço entre seus dentes e marcas de catapora apagadas no queixo, mas os olhos eram bonitos, com sobrancelhas grossas, separadas, e floreios úmidos que se estendiam além da largura natural das pálpebras. Usava um sári branco luminoso estampado com padrão *paisley* alaranjado, mais adequado para um evento noturno que para aquela tarde sossegada, com ligeiro chuvisco de agosto. Seus lábios tinham uma camada extra de brilho coral e um pouco da cor borrava os contornos.

Mas era sua mãe, Eliot pensou, com sua bermuda bege de barra virada e sapatos de sola de corda, que parecia estranha. O cabelo curto, num tom semelhante ao da bermuda, parecia liso e comportado demais, e naquela sala onde todas as coisas eram tão cuidadosamente cobertas, seus joelhos e coxas depilados pareciam muito expostos. Ela recusou os biscoitos todas as vezes que a sra. Sen estendeu o prato em sua direção e fez uma série de perguntas, cujas respostas anotou num bloco de estenografia. Haveria outras crianças no apartamento? A sra. Sen havia cuidado de crianças antes? Há quanto tempo vivia no país? Ela se preocupava acima de tudo com o fato de a sra. Sen não saber dirigir. A mãe de Eliot trabalhava num escritório a oitenta quilômetros ao norte e o pai dele, pela última notícia que tiveram, morava a mais de três mil quilômetros a oeste.

— Na verdade, eu estou dando aulas para ela — disse o sr. Sen, deixando a caneca na mesinha de centro. Era a primeira vez que ele falava. — Pelos meus cálculos, a senhora Sen vai tirar a carteira de motorista em dezembro.

— É mesmo? — A mãe de Eliot anotou a informação em seu bloco.

— É, estou aprendendo — disse a sra. Sen. — Mas sou uma aluna lenta. Na nossa terra, sabe, temos um motorista.

— Um chofer particular, a senhora quer dizer.

A sra. Sen olhou para o sr. Sen, que fez que sim.

A mãe de Eliot balançou a cabeça também, olhou em torno da sala.

— E isso tudo... na Índia?

— É — a sra. Sen respondeu. A menção da palavra pareceu liberar alguma coisa nela. Ajeitou a borda do sári atravessado em diagonal no peito. Ela também olhou em torno da sala, como se notasse nos abajures, na chaleira, nas sombras congeladas no carpete, alguma coisa que os outros não viam. — Está tudo lá.

Eliot não se importava de ir para a casa da sra. Sen depois da escola. Em setembro, a casinha na praia em que ele e a mãe moravam o ano inteiro já estava fria; Eliot e a mãe tinham de levar um aquecedor portátil sempre que iam de um cômodo a outro, e vedar as janelas com plástico e secador de cabelo. A praia deserta era sem graça para brincar sozinho; os únicos vizinhos que ficavam depois do Dia do Trabalho era um casal jovem, sem filhos, e Eliot já não achava interessante catar conchas quebradas com seu balde, nem alisar as algas, estendidas como tiras de lasanha cor de esmeralda na areia. O apartamento da sra. Sen era quentinho, às vezes quente demais: os aquecedores chiando constantemente como uma panela de pressão. Eliot aprendeu a tirar os tênis assim que chegava na porta e colocá-los na estante ao lado da fileira de sandálias da sra. Sen, cada uma de uma cor, com as solas retas como papelão e um aro de couro para prender no dedão do pé.

Gostava principalmente de ver a sra. Sen cortando coisas, sentada em cima de jornais no piso da sala. Em vez de faca, ela usava uma lâmina curva como a proa de um barco viking, navegando para batalhas em mares distantes. O aço, mais preto que prata, não tinha um brilho uniforme, e a borda serrilhada servia para ralar, ela disse a Eliot. Toda tarde, a sra. Sen pegava a lâmina, encaixava no lugar, de maneira que formasse um ângulo com a base. Com a borda afiada voltada para ela, sem nunca tocá-la, ela pegava vegetais inteiros nas mãos e os cortava: couve-flor, repolho, abóbora. Cortava as coisas na metade, depois em quatro, produzindo rapidamente buquês, cubos, fatias, lascas. Era capaz de descascar uma batata em segundos. Às vezes, sentava-se de pernas cruzadas, às vezes de pernas estendidas, cercada por uma variedade de escorredores e bacias rasas de água em que mergulhava os ingredientes cortados.

Enquanto trabalhava, ficava de olho na televisão e em Eliot, mas nunca parecia olhar a lâmina. Mesmo assim, não permitia que Eliot circulasse enquanto ela estava cortando.

— Fique sentado, por favor, vai levar só mais dois minutos — ela dizia apontando para o sofá, coberto o tempo todo por uma colcha verde e preta estampada com fileiras de elefantes levando palanquins nas costas. O procedimento diário levava cerca de uma hora. A fim de ocupar Eliot, ela fornecia a ele o caderno de quadrinhos do jornal, bolachas com manteiga de amendoim e às vezes um pirulito, ou cenoura esculpida com sua lâmina. Se pudesse, ela isolava a área. Uma vez, porém, quebrando a própria regra, como precisou de suprimentos extras, e relutando levantar-se da confusão catastrófica que a cercava, pediu a Eliot que buscasse alguma coisa na cozinha.

— Se não se importa, tem uma tigela de plástico, bem grande para caber este espinafre, no armário ao lado da geladeira. Cuidado, ah, nossa!, cuidado — ela alertou quando ele chegou perto. — Deixe ali, muito obrigada, na mesinha de centro, que eu alcanço.

Ela havia trazido a lâmina da Índia, onde parecia haver pelo menos uma em cada casa.

— Sempre que tem um casamento na família — ela contou a Eliot um dia — ou uma grande festa, minha mãe manda avisar todas as mulheres do bairro para trazerem lâminas iguais a esta. Elas sentam-se num enorme círculo na cobertura do nosso prédio, rindo, fazendo fofocas, cortando cinquenta quilos de vegetais noite adentro. — O perfil dela pairava, protetor, acima de seu trabalho, confetes de pepino, berinjela e cascas de cebola amontoados a sua volta. — É impossível dormir nessas noites, ouvindo a conversa delas. — Fez uma pausa para olhar um pinheiro emoldurado pela janela da sala. — Aqui neste lugar para onde o senhor Sen me trouxe, eu às vezes não consigo dormir por causa do silêncio.

Outro dia, ela se sentou extraindo a gordura amarela de pedaços de frango, depois dividindo-os em coxa e sobrecoxa. Quando os ossos estalaram e se separaram na lâmina, as pulseiras douradas balançaram, os antebraços dela brilharam e ela expirou audivelmente pelo nariz. Em certo momento, parou, agarrou o frango com as duas mãos e olhou pela janela. Gordura e tendões grudados nos dedos.

— Eliot, se eu começar a gritar agora com toda força, vem alguém?

— Algum problema, senhora Sen?

— Nada. Só estou perguntando se vem alguém.

Eliot deu de ombros.

— Talvez.

— Lá em casa, basta fazer isso. Nem todo mundo tem telefone. Mas basta elevar um pouco a voz, ou demonstrar tristeza, ou alegria de algum jeito, e o bairro inteiro, mais metade do bairro vizinho, vem correndo para saber o que houve, ajudar com as providências.

Eliot entendeu que, quando a sra. Sen falava lá em casa, queria dizer a Índia, e não aquele apartamento onde ela ficava sentada cortando vegetais. Ele pensou em sua casa, a menos de dez quilômetros dali, e no casal jovem acenando de vez em quando ao correr na praia ao entardecer. No Dia do Trabalho, eles deram uma festa. Uma porção de gente no deque, comendo, bebendo, o som da risada deles mais alto que o cansativo arfar das ondas. Eliot e a mãe não foram convidados. Foi num dos raros dias de folga da mãe, mas eles não foram a lugar nenhum. Ela lavou a roupa, conferiu o talão de cheques e com a ajuda de Eliot passou o aspirador dentro do carro. Eliot sugeriu que fossem ao lava-rápido uns quilômetros adiante na estrada, como faziam de vez em quando, para poderem ficar sentados dentro, seguros e secos, enquanto água e sabão e um círculo de tiras de lona gigantescas batiam no para-brisa, mas sua mãe disse que estava muito cansada e lavou o carro com a mangueira. Quando, à noite, a multidão na casa do vizinho começou a dançar, ela procurou o número deles na lista telefônica e pediu para baixarem o volume.

— Pode ser que chamem a senhora — Eliot acabou dizendo à sra. Sen. — Mas podem reclamar que a senhora está fazendo muito barulho.

Ali de onde Eliot estava sentado no sofá, dava para sentir seu curioso cheiro de naftalina e cominho, e ele via perfeitamente o repartido central de seu cabelo trançado, pintado com pó de colorau, e que por isso parecia estar sangrando. No começo, Eliot pensou se ela havia cortado o couro cabeludo, ou se tinha sido picada ali. Mas um dia a viu parada na frente do espelho do banheiro, aplicando solenemente, com a cabeça de um parafuso, mais um toque de pó escarlate, que ela guardava num vidrinho de geleia. Uns grãos do pó caíram na ponta do nariz quando ela usou o parafuso para fazer uma pinta acima das sobrancelhas.

— Tenho de usar o pó todos os dias — ela explicou a Eliot quando ele perguntou a razão — pelo resto da minha vida, enquanto eu for casada.

— Como se fosse uma aliança no dedo, é isso?

— Exatamente, Eliot, exatamente como uma aliança de casamento. Só que sem perigo de perder na máquina de lavar pratos.

Quando a mãe de Eliot chegava, às seis e vinte, a sra. Sen cuidava para que todos os indícios de seu preparo dos legumes tivessem desaparecido. A lâmina estava esfregada, lavada, seca, dobrada e guardada no armário com a ajuda de uma escadinha. Com a ajuda de Eliot os jornais estavam amassados, com todas as cascas, aparas e sementes dentro. Tigelas e escorredores cheios até a boca alinhados na bancada, pastas e condimentos medidos e misturados e, no fim, uma coleção de caldos peneirados sobre as chamas azuladas do fogão. Nunca era nenhuma ocasião especial, nem ela estava esperando companhia. Era meramente um jantar para ela e o sr. Sen, como indicavam os dois pratos e os dois copos que ela arrumava, sem guardanapos nem talheres, na mesinha quadrada de fórmica num canto da sala.

Quando ela apertava os jornais mais fundo na lata de lixo, Eliot sentia que ele e a sra. Sen estavam desobedecendo alguma regra não explicitada. Talvez fosse pela urgência com que a sra. Sen fazia tudo, pegar pitadas de açúcar e sal entre as unhas, escorrer água sobre as lentilhas, passar esponja em todas as superfícies imagináveis, fechar as portas dos armários com uma sucessão de cliques. Ele tinha um pequeno choque ao ver sua mãe de repente, com as meias transparentes e o *tailleur* com enchimentos nos ombros que usava para trabalhar, espiando os cantos do apartamento da sra. Sen. Ela tendia a parar na porta, chamando Eliot para calçar os tênis e recolher suas coisas, mas a sra. Sen não aceitava isso. Toda tarde insistia que sua mãe sentasse no sofá, onde servia a ela algo de comer: um copo de iogurte rosa vivo com xarope de rosas, carne moída com pão e passas, uma tigela de *halvah* de semolina.

— Realmente, senhora Sen, eu almoço tarde. A senhora não devia se dar a esse trabalho.

— Não é trabalho nenhum. Igual ao Eliot. Não dá trabalho nenhum.

Sua mãe provava os preparados da sra. Sen com os olhos voltados para cima, em busca de uma opinião. Mantinha os joelhos apertados, o salto alto que nunca tirava firme no carpete cor de pera. "Delicioso", ela concluía, deixando o prato na mesa depois de uma ou duas mordidas. Eliot sabia que ela não gostava dos sabores; ela disse isso para ele uma vez, no carro. Sabia também que ela não almoçava no trabalho, porque a primeira coisa que fazia ao voltar para a casa de praia era se servir de um copo de vinho e comer pão e queijo, às vezes tanto que não estava com fome para a pizza que normalmente pediam para o jantar. E, enquanto ele comia, ela ficava sentada à mesa, bebia mais vinho e perguntava como tinha sido seu dia, mas acabava indo fumar um cigarro no deque, deixando Eliot embalar os restos.

Toda tarde, a sra. Sen esperava num grupo de pinheiros ao lado da rua principal onde o ônibus escolar deixava Eliot junto com duas ou três outras crianças que moravam perto. Eliot sempre sentia que a sra. Sen estava esperando fazia algum tempo, como se estivesse ansiosa para saudar uma pessoa que não via havia anos. Os fios de cabelo em suas têmporas esvoaçavam ao vento, o risco vermelho bem vivo no repartido. Ela usava óculos de sol azul-escuros, grandes demais para seu rosto. O sári, de padrão diferente a cada dia, esvoaçava por baixo da barra de um sobretudo xadrez. Bolotas de carvalho e lagartas pontilhavam a estradinha de asfalto que circundava o complexo de cerca de uma dúzia de edifícios de tijolos, todos idênticos, encravados numa vastidão comunal de chão de lascas de madeira. Quando voltavam do ponto do ônibus, ela tirava do bolso um saco de sanduíche e oferecia a Eliot gomos de laranja descascados ou amendoins ligeiramente salgados, que ela já havia tirado das cascas.

Iam diretamente para o carro e durante vinte minutos a sra. Sen praticava na direção. Era um sedã cor de caramelo com bancos de vinil. Havia um rádio AM com botões cromados e, no anteparo atrás do banco traseiro, uma caixa de lenços de papel e um raspador de gelo. A sra. Sen disse a Eliot que não achava certo deixá-lo sozinho no apartamento, mas Eliot sabia que ela queria que ele sentasse a seu lado porque tinha medo. Detestava o ronco da ignição e punha as mãos nos ouvidos para tapar o ruído ao pressionar os pés de sandálias no acelerador para acelerar o motor.

— O senhor Sen disse que, na hora que eu tirar a carteira, tudo vai melhorar. Você acha, Eliot? Acha que as coisas vão melhorar?

— A senhora pode sair — Eliot sugeriu. — Pode ir aonde quiser.

— Posso ir dirigindo até Calcutá? Quanto tempo levaria, Eliot? Dezesseis mil quilômetros a oitenta quilômetros por hora?

Eliot não conseguia fazer a conta de cabeça. Ficou olhando a sra. Sen ajeitar o banco do motorista, o espelho retrovisor, os óculos no alto da cabeça. Ela ligou o rádio numa estação que tocava sinfonias.

— É Beethoven? — ela perguntou uma vez pronunciando a primeira sílaba do nome do compositor não como "be", mas como "bi", como *bee*, abelha em inglês. Ela baixou o vidro do seu lado e pediu a Eliot que fizesse o mesmo. Acabou apertando o pedal do freio, manipulou o câmbio automático como se fosse uma enorme caneta que vasava e deu ré centímetro a centímetro da vaga de estacionamento. Circundou uma vez o complexo de apartamentos, e de novo.

— Como estou indo, Eliot? Vou passar no exame?

Ela se distraía o tempo todo. Parava o carro sem avisar só para ouvir alguma coisa no rádio ou olhar alguma coisa, qualquer coisa, na rua. Se passava por uma pessoa, acenava. Se via um passarinho dez metros à frente, tocava a buzina com o indicador e esperava que saísse voando. Na Índia, disse ela, o motorista senta do lado direito, não do esquerdo. Passaram devagar pelos balanços, pelo prédio da lavanderia, pelos latões de lixo verde-escuros, por fileiras de carros estacionados. Todas as vezes que se aproximavam do grupo de pinheiros onde a estradinha de asfalto encontrava a rua principal, ela se inclinava para a frente, pondo todo seu peso no pedal do freio enquanto os carros passavam depressa. Era uma rua estreita, com uma faixa amarela contínua pintada no meio, com outra pista de tráfego na direção oposta.

— Impossível, Eliot. Como eu vou lá?

— Tem de esperar até não passar ninguém.

— Por que ninguém diminui a marcha?

— Não vem vindo ninguém agora.

— Mas e o carro da direita, está vendo? E olhe, um caminhão atrás dele. De qualquer jeito, eu não tenho permissão para entrar na rua principal sem o senhor Sen.

— A senhora tem de virar e acelerar — Eliot disse. Era assim que sua mãe fazia, como se nem pensasse. Parecia tão simples quando ele estava ao lado da mãe, deslizando à noitinha de volta para a casa de praia, quando a rua era apenas uma rua, os outros carros meramente parte da paisagem. Mas quando sentava com a sra. Sen, sob o sol de outono que brilhava sem calor pelas ruas, ele via como o mesmo fluxo de carros deixava os nós dos dedos dela brancos, os pulsos trêmulos e seu inglês errado.

— Todo mundo, essa gente, demais no mundo delas.

* * *

Eliot descobriu que duas coisas deixavam a sra. Sen contente. Uma era a chegada de uma carta da família. Era seu costume conferir a caixa de correio depois de praticar na direção. Ela destrancava a caixa, mas pedia a Eliot para pegar o conteúdo, dizendo a ele o que procurar, depois fechava os olhos e os protegia com as mãos enquanto ele remexia as contas e revistas que vinham em nome do sr. Sen. No começo, Eliot achava incompreensível a ansiedade da sra. Sen; sua mãe tinha uma caixa postal na cidade e recolhia a correspondência tão irregularmente que uma vez a eletricidade foi cortada durante três dias. Passaram-se semanas na casa da sra. Sen até ele encontrar um aerograma azul, granuloso ao toque, cheio de selos mostrando um homem careca a uma roca de fiar, e enegrecido de carimbos postais.

— É isto aqui, senhora Sen?

Pela primeira vez, ela o abraçou, apertando seu rosto contra o sári, envolvendo-o no odor de naftalina e cominho. Ela pegou a carta de suas mãos.

Assim que entraram no apartamento, ela chutou as sandálias para cá e para lá, tirou um grampo do cabelo, rasgou o alto e os lados do aerograma com três movimentos. Seus olhos iam de um lado para o outro enquanto lia. Assim que terminou, ela pôs de lado o bordado que cobria o telefone, discou e perguntou:

— O senhor Sen está, por favor? Aqui é a senhora Sen e é uma coisa importante.

Em seguida, ela falou em sua língua, rápida e tumultuada aos ouvidos de Eliot; era claro que estava lendo o conteúdo da carta, palavra por palavra. Quando lia, sua voz ficava mais alta e parecia mudar de tom. Embora estivesse bem claramente na sua frente, Eliot teve a sensação de que a sra. Sen não estava mais presente na sala com carpete cor de pera.

Depois disso, o apartamento ficou, de repente, pequeno demais para contê-la. Atravessaram a rua principal e percorreram a pé a curta distância até o quadrilátero da universidade, onde os sinos de uma torre de pedra tocavam de hora em hora. Atravessaram um centro de estudantes e arrastaram uma bandeja no balcão da lanchonete, comeram batatas fritas amontoadas num barco de papelão entre estudantes que conversavam em mesas circulares. Eliot tomou refrigerante num copo de papel. A sra. Sen tomou um chá de saquinho com açúcar e creme. Depois de comer, exploraram o prédio das artes, procurando esculturas e serigrafias em corredores frios cheios de cheiro de tinta fresca e argila. Passaram pelo prédio da matemática, onde o sr. Sen dava aula.

Acabaram na ruidosa ala de atletismo que cheirava a cloro e onde, através de uma ampla janela do quarto andar, viram nadadores atravessarem de ponta a ponta brilhantes piscinas cor de turquesa. A sra. Sen tirou o aerograma da Índia de dentro da bolsa e estudou-o na frente e atrás. Desdobrou o papel e leu de novo, calada, suspirando um pouco. Quando terminou, ficou olhando os nadadores durante algum tempo.

— Minha irmã teve uma menina. Quando eu conseguir me encontrar com ela, dependendo de o senhor Sen conseguir a estabilidade no emprego, ela já vai ter três anos. A própria tia vai ser uma estranha. Se a gente sentar uma do lado da outra num trem, ela não vai conhecer meu rosto. — Ela guardou a carta e pôs a mão na cabeça de Eliot. — Você sente saudade da sua mãe, Eliot, nessas tardes comigo?

A ideia nunca havia lhe ocorrido.

— Deve sentir falta dela. Quando penso em você, um menino pequeno, separado da mãe durante uma parte tão grande do dia, fico com vergonha.

— Eu fico com ela de noite.

— Quando eu tinha sua idade não sabia que um dia ia estar tão longe. Você é mais esperto, Eliot. Já está tendo uma amostra de como as coisas são.

***

Outra coisa que deixava a sra. Sen contente era peixe do mar. Era sempre um peixe inteiro que ela queria, não frutos do mar, nem os filés que a mãe de Eliot havia grelhado algumas noites antes, quando convidou um homem do escritório para jantar — um homem que passou a noite no quarto de sua mãe, mas que Eliot nunca mais viu. Uma noite, quando a mãe de Eliot veio buscá-lo, a sra. Sen ofereceu a ela um croquete de atum, explicando que na verdade devia ser feito com um peixe chamado *bhetki*.

— É muito frustrante — a sra. Sen se desculpou, com ênfase na segunda sílaba da palavra. — Morar tão perto do mar e não ter tanto peixe. — No verão, ela disse, gostava de ir ao mercado da praia. Acrescentou que, embora o peixe de lá não tivesse o gosto nem parecido com o da Índia, ao menos era fresco. Agora que estava ficando mais frio, os barcos não saíam mais com regularidade e às vezes não havia nenhum peixe à venda durante semanas inteiras.

— Tente o supermercado — minha mãe sugeriu.

A sra. Sen sacudiu a cabeça.

— No supermercado dá para escolher comida de gato de trinta e duas latas diferentes, mas não consigo encontrar um peixe que eu goste, nem um. — A sra. Sen contou que crescera comendo peixe duas vezes por dia. Acrescentou que em Calcutá as pessoas comiam peixe ao acordar, antes de ir para a cama, como lanche na escola se tinham sorte. Comiam o rabo e as ovas, até a cabeça. Encontrava-se em qualquer mercado, do amanhecer até meia-noite. — Basta sair de casa, andar um pouquinho e pronto.

A cada poucos dias, a sra. Sen abria as páginas amarelas, discava um número que havia marcado com um sinal na margem e perguntava se havia algum peixe inteiro. Se havia, ela pedia que o mercado reservasse.

— Em nome de Sen, é, S de Sam, N de Nova York. O senhor Sen vai passar aí para buscar.

Então, ela ligava para o sr. Sen na universidade. Minutos depois o sr. Sen chegava, tocava a cabeça de Eliot, mas não beijava a sra. Sen. Ele lia sua correspondência na mesa de fórmica e tomava um chá antes de sair. Meia hora depois, voltava com uma sacola de papel com uma lagosta sorridente impressa na frente, entregava para a sra. Sen e voltava à universidade para as aulas noturnas. Um dia, ele entregou a sacola de papel para a sra. Sen e disse:

— Sem peixe durante algum tempo. Faça o frango que está no freezer. Tenho de começar a cumprir horário.

Nos dias seguintes, em vez de ligar para a peixaria, a sra. Sen descongelava coxas de frango na pia da cozinha e cortava-as com a lâmina. Um dia, fez um cozido com feijões-verdes e sardinha em lata. Mas, na semana seguinte, o homem da peixaria telefonou para a sra. Sen; disse que achava que ela gostaria do peixe e que ia reservar até o fim do dia em nome dela. Ela ficou lisonjeada.

— Não é bondade dele, Eliot? O homem disse que procurou meu nome na lista telefônica. Disse que é o único Sen. Sabe quantos Sen tem na lista de Calcutá?

Ela falou para Eliot calçar o sapato e vestir o casaco, depois ligou para o sr. Sen na universidade. Eliot amarrou os tênis junto à estante e esperou que ela viesse para escolher uma das sandálias. Depois de alguns minutos, chamou o nome dela. Como a sra. Sen não respondeu, ele desamarrou os tênis e voltou para a sala, onde a encontrou no sofá, chorando. Estava com o rosto escondido nas mãos e as lágrimas escorriam por entre os dedos. Através deles, ela murmurou alguma coisa sobre uma reunião que o sr. Sen ia ter. Devagar ela se levantou e arrumou o pano em cima do telefone. Eliot a acompanhou, andando de tênis pela primeira vez no carpete cor de pera. Ela olhou para ele. Suas pálpebras inferiores estavam inchadas com finas cristas rosadas.

— Me diga, Eliot. É pedir demais?

Antes que ele pudesse responder, ela pegou sua mão e o levou para o quarto, cuja porta era normalmente mantida fechada. Além da cama, que não tinha cabeceira, as únicas outras coisas no quarto eram uma mesa de cabeceira com um telefone, uma tábua de passar roupa e uma escrivaninha. Ela abriu as gavetas da escrivaninha e a porta do armário, cheio de sáris de todas as texturas e cores imagináveis, brocados com fios de ouro e prata. Alguns eram transparentes, o tecido fino, outros grossos como capas, com pingentes pendurados nas pontas. No armário, estavam em cabides; nas gavetas, dobrados ou enrolados em rolos firmes.

— Quando eu usei este aqui? E este? E este? — Ela tirou os sáris das gavetas um a um, depois pegou vários nos cabides. Eles pousavam como uma pilha de lençóis emaranhados em cima da cama. O quarto era tomado pelo cheiro intenso de naftalina.

— "Mande fotos", eles escrevem. "Mande fotos da sua nova vida." Que foto eu vou mandar? — Sentou-se, exausta, na beira da cama, onde agora mal havia espaço para ela. — Eles pensam que eu levo uma vida de rainha, Eliot. — Olhou em torno, as paredes vazias do quarto. — Acham que eu aperto um botão e a casa está limpa. Acham que eu moro num palácio.

O telefone tocou. A sra. Sen deixou que tocasse diversas vezes antes de pegar a extensão ao lado da cama. Durante a conversa, ela pareceu apenas responder perguntas, enxugando o rosto com as pontas de um dos sáris. Quando desligou o telefone, enfiou os sáris sem dobrar de volta nas gavetas e então ela e Eliot calçaram os sapatos e foram até o carro, onde esperaram que o sr. Sen viesse encontrá-los.

— Por que não dirige hoje? — o sr. Sen perguntou quando apareceu, tamborilando com os dedos no capô. Eles sempre falavam inglês quando Eliot estava presente.

— Hoje não. Outro dia.

— Como espera passar no exame se você se recusa a dirigir na rua com os outros carros?

— Eliot está aqui hoje.

— Ele está aqui todo dia. É para seu próprio bem. Eliot, diga para a senhora Sen que é para o próprio bem dela.

Ela se recusou.

Rodaram em silêncio, ao longo das mesmas ruas que Eliot e a mãe pegavam para voltar para a casa de praia toda noite. Mas no banco de trás do carro do sr. e da sra. Sen a viagem parecia desconhecida e levou mais tempo do que o usual. As gaivotas, cujos gritos tediosos o acordavam toda manhã, agora o estimulavam ao mergulharem e planarem no céu. Passaram por uma praia depois da outra, pelas barracas, agora fechadas, que vendiam limonada congelada e vôngoles no verão. Só uma barraca estava aberta. Era a peixaria.

A sra. Sen destrancou a porta do carro e virou-se para o sr. Sen, que ainda não tinha soltado o cinto de segurança.

— Vai descer?

O sr. Sen entregou a ela algumas notas que tirou da carteira.

— Tenho uma reunião dentro de vinte minutos — disse, olhando o painel ao falar. — Por favor, não perca tempo.

Eliot acompanhou-a até a lojinha úmida, cujas paredes tinham festões de redes, estrelas-do-mar e boias. Um grupo de turistas com câmeras no pescoço estava reunido no balcão, alguns experimentando mariscos recheados, outros apontado um grande pôster ilustrativo de cinquenta diferentes variedades de peixes do Atlântico Norte. A sra. Sen pegou uma senha da máquina no balcão e esperou na fila. Eliot ficou junto das lagostas, que se mexiam uma em cima da outra em seu tanque turvo, as pinças amarradas com tiras de borracha amarela. Observou a sra. Sen rir e conversar, quando chegou sua vez, com um homem de cara vermelha e brilhante e dentes amarelos, com um avental de borracha preto. Na outra mão, ele erguia pelo rabo uma cavalinha.

— Tem certeza que está me vendendo peixe fresco?

— Se for mais fresco ele responde sua pergunta sozinho.

O marcador estremeceu em seu veredito na balança.

— Quer que limpe, senhora Sen?

Ela fez que sim.

— Mas deixe a cabeça, por favor.

— Tem gato em casa?

— Nenhum gato. Só um marido.

Mais tarde, no apartamento, ela tirou a lâmina do armário, espalhou jornais no carpete e inspecionou seus tesouros. Um a um, ela tirou os peixes do papel de embrulho, amassado e manchado de sangue. Alisou os rabos, cutucou as barrigas, abriu a carne da barriga esvaziada. Com uma tesoura, cortou as barbatanas. Enfiou um dedo na guelra, de um vermelho tão vivo que seu repartido parecia pálido. Pegou o corpo, que tinha listras pretas em ambas as extremidades e com a lâmina fez talhos a intervalos regulares.

— Por que a senhora faz isso? — Eliot perguntou.

— Para ver quantos pedaços vai dar. Se eu cortar direito, este peixe rende três refeições. — Ela serrou fora a cabeça e pôs num prato de bolo.

Em novembro, houve vários dias em que a sra. Sen se recusou a praticar a direção. A lâmina nunca saía do armário, os jornais não eram espalhados no chão. Ela não telefonava para a peixaria, não descongelava frango. Em silêncio, preparava bolachas com manteiga de amendoim para Eliot, depois sentava lendo velhos aerogramas de uma caixa de sapatos. Quando chegava a hora de Eliot ir embora, ela recolhia as coisas dele sem convidar sua mãe a sentar no sofá e comer alguma coisa antes. Quando, finalmente, a mãe lhe perguntou, no carro, se ele havia notado alguma mudança no comportamento da sra. Sen, ele disse que não. Não contou que a sra. Sen ficava andando pelo apartamento, olhando os abajures cobertos com plástico como se os visse pela primeira vez. Não contou que ela ligava a televisão, mas nunca assistia, nem que fazia chá, mas deixava esfriar na mesinha de centro. Um dia, ela tocou uma fita de alguma coisa chamada *raga*; soava um pouco como alguém dedilhando um violino bem devagar e depois muito depressa e a sra. Sen disse que se devia ouvir aquilo só no fim da tarde, quando o sol estava se pondo. A música tocou durante quase uma hora, ela sentada no sofá de olhos fechados. Depois, ela disse:

— É mais triste até que o seu Beethoven, não é?

Outro dia, ela tocou uma fita cassete de pessoas falando em sua língua — contou a Eliot que era o presente de despedida que a família gravara para ela. À medida que se sucediam as vozes, rindo ou falando, a sra. Sen identificava cada uma.

— Meu terceiro tio, meu primo, meu pai, meu avô. — Um deles cantou uma canção. Outro recitou um poema. A voz final da fita pertencia à mãe da sra. Sen. Era mais tranquila e soava mais séria que as outras. Havia uma pausa entre cada frase e durante essa pausa a sra. Sen traduzia para Eliot: — O preço do cabrito subiu duas rupias. As mangas do mercado não estão doces. A College Street inundou. — Ela desligou a fita. — Essas coisas é que aconteceram no dia em que fui embora da Índia. — No dia seguinte, ela voltou a tocar a mesma fita cassete. Dessa vez, quando seu avô estava falando, ela parou a fita. Contou a Eliot que havia recebido uma carta no fim de semana. Seu avô tinha morrido.

Uma semana depois, a sra. Sen começou a cozinhar de novo. Um dia, quando estava sentada no chão da sala, cortando repolho, o sr. Sen ligou. Queria levar Eliot e a sra. Sen até a praia. Para essa ocasião, a sra. Sen vestiu um sári vermelho e passou batom vermelho; renovou o vermelho do repartido e trançou de novo o cabelo. Amarrou um lenço na cabeça, arrumou os óculos escuros em cima e pôs uma minicâmera na bolsa. Quando o sr. Sen estava saindo do estacionamento, ele apoiou o braço no encosto do banco da frente, de forma que parecia estar abraçando a sra. Sen.

— Está ficando muito frio para esse casaco — ele disse a ela, a certa altura. — Devíamos comprar uma coisa mais quente para você. — Na peixaria, eles compraram cavalinha, barracuda e robalo. Dessa vez, o sr. Sen entrou na loja com eles. Foi o sr. Sen quem perguntou se o peixe era fresco e pediu que cortassem de um jeito ou de outro. Compraram tanto peixe que Eliot teve de carregar uma das sacolas. Depois que colocaram as sacolas no porta-malas, o sr. Sen informou que estava com fome e a sra. Sen concordou, então atravessaram a rua até um restaurante cuja janela de compras para viagem ainda estava aberta. Sentaram-se a uma mesa de piquenique e comeram duas cestas de bolinhos de marisco. A sra. Sen pôs bastante molho tabasco e pimenta-do-reino na dela.

— Parece *pakora*, não parece? — O rosto dela estava afogueado, o batom borrado, e ela ria de tudo o que o sr. Sen dizia.

Atrás do restaurante, havia uma praia pequena e quando terminaram de comer caminharam um pouco junto ao mar, num vento tão forte que tinham de andar de costas. A certo momento, a sra. Sen apontou para a água e disse que cada onda parecia um sári secando num varal.

— Impossível! — gritou, por fim, rindo ao virar as costas, os olhos lacrimejando. — Não consigo me mexer. — Então fez uma foto de Eliot e do sr. Sen parados na areia. — Agora, uma de nós — disse ela, apertando Eliot contra o casaco xadrez e dando a câmera ao sr. Sen. Finalmente, a câmera foi dada a Eliot.

— Segure firme — disse o sr. Sen. Eliot olhou no visor minúsculo da câmera e esperou o sr. e a sra. Sen ficarem mais juntos, mas eles não se aproximaram. Não se deram as mãos, nem puseram a mão um na cintura do outro. Ambos sorriram com as bocas fechadas, os olhos apertados por causa do vento, o sári vermelho da sra. Sen saltando como chamas debaixo de seu casaco.

No carro, aquecidos afinal e exaustos do vento e dos bolinhos de mariscos, admiraram as dunas, os navios visíveis ao longe, a vista do farol, o céu roxo e cor de pêssego. Depois de um momento, o sr. Sen diminuiu a marcha e parou à beira da rua.

— O que foi? — a sra. Sen perguntou.

— Você vai dirigindo para casa hoje.

— Hoje não.

— Hoje sim. — O sr. Sen desceu do carro e abriu a porta do lado da sra. Sen. Um vento feroz soprou para dentro do carro, acompanhado pelo som das ondas quebrando na praia. Finalmente, ela deslizou para o lado do motorista, mas passou um longo tempo ajeitando o sári e os óculos escuros. Eliot virou e olhou pela janela de trás. A rua estava vazia. A sra. Sen ligou o rádio, enchendo o carro com música de violino.

— Não precisa disso — disse o sr. Sen, desligando o rádio.

— Ajuda a concentrar — disse a sra. Sen, e ligou de novo.

— Dê a seta — o sr. Sen indicou.

— Eu sei o que fazer.

Durante quase dois quilômetros, ela foi bem, embora mais devagar que os outros carros que passavam por ela. Mas quando se aproximou da cidade, e os faróis de trânsito apareceram suspensos a distância, ela foi ainda mais devagar.

— Mude de pista — disse o sr. Sen. — Vai ter de virar à esquerda na rotatória.

A sra. Sen não mudou.

— Mude de pista, estou dizendo. — Ele desligou o rádio. — Está me ouvindo?

Um carro tocou a buzina, depois outro. Ela buzinou de volta, desafiadora, parou, e estacionou do lado da rua, sem dar sinal.

— Chega — disse, a testa apoiada no volante. — Detesto isto. Detesto dirigir. Não vou continuar.

***

Depois disso, ela parou de dirigir. Quando a peixaria voltou a ligar, ela não chamou o sr. Sen no escritório. Tinha resolvido experimentar outra coisa. Havia um ônibus que passava de hora em hora, entre a universidade e a praia. Depois da universidade, fazia duas paradas, a primeira num asilo, depois na praça de um shopping sem nome, que consistia de uma livraria, uma loja de calçados, uma farmácia, uma pet shop e uma loja de discos. Nos bancos debaixo do pórtico, velhas do asilo ficavam sentadas aos pares, sobretudos até os joelhos com botões imensos, chupando pastilhas.

— Eliot — a sra. Sen perguntou quando estavam sentados no ônibus —, você vai pôr sua mãe no asilo quando ela ficar velha?

— Talvez — ele disse. — Mas vou visitá-la todo dia.

— Você diz isso agora, mas você vai ver, quando for homem sua vida vai para um lado que você não sabe agora. — Ela contou nos dedos: — Vai ter uma esposa, filhos, eles vão querer que você os leve para vários lugares ao mesmo tempo. Por mais bonzinhos que sejam, um dia eles vão reclamar de ter de ir visitar sua mãe e você também vai cansar de ir, Eliot. Vai pular um dia, depois outro, e aí ela vai ter de se arrastar até um ônibus só para comprar um pacote de pastilhas.

Na peixaria, as bancadas de gelo estavam quase vazias, assim como os tanques de lagostas, onde dava para ver manchas cor de ferrugem através da água. Uma placa dizia que a loja fecharia durante o inverno, no final do mês. Havia apenas uma pessoa trabalhando atrás do balcão, um rapazinho que não reconheceu a sra. Sen ao lhe entregar a sacola reservada em seu nome.

— Já foi limpo e pesado? — a sra. Sen perguntou.

O rapazinho deu de ombros.

— O patrão saiu cedo. Só disse para entregar a sacola.

No estacionamento, a sra. Sen consultou o horário dos ônibus. Teriam de esperar quarenta e cinco minutos pelo próximo, então atravessaram a rua e ela comprou bolinhos de marisco na janela de comida para viagem, como tinham feito antes. Não havia onde sentar. As mesas de piquenique não estavam mais disponíveis, os bancos acorrentados ao tampo, de pernas para cima.

A caminho de casa, uma velha no ônibus ficou olhando para eles, os olhos passando da sra. Sen para Eliot e para a sacola manchada de sangue aos pés dela. Usava sobretudo preto e segurava junto ao peito, com mãos nodosas e desbotadas, um saco branco da farmácia. Os únicos dois outros passageiros eram dois estudantes universitários, namorado e namorada, usando suéteres combinando, os dedos entrelaçados, largados no banco de trás. Em silêncio, Eliot e a sra. Sen comeram os bolinhos de mariscos até o último. A sra. Sen tinha esquecido os guardanapos e traços da massa frita pontilhavam os cantos de sua boca. Quando chegaram ao asilo a mulher de sobretudo se levantou, disse alguma coisa ao motorista, e desceu do ônibus. O motorista virou a cabeça e olhou para a sra. Sen.

— O que tem na sacola?

A sra. Sen ergueu os olhos, assustada.

— Fala inglês? — O ônibus começou a rodar de novo, fazendo com que o motorista olhasse para a sra. Sen e Eliot através do enorme retrovisor.

— Falo, sim.

— Então, o que tem na sacola?

— Um peixe — a sra. Sen respondeu.

— Parece que o cheiro está incomodando os outros passageiros. Menino, melhor abrir a janela, quem sabe.

Uma tarde, poucos dias depois, o telefone tocou. Uns halibutes muito gostosos tinham chegado com os barcos. Será que a sra. Sen ia gostar de ficar com um? Ela telefonou para o sr. Sen, mas ele não estava em sua mesa. Ela tentou ligar uma segunda vez, depois uma terceira. Por fim, foi à cozinha e voltou à sala com a lâmina, uma berinjela e alguns jornais. Sem precisar que ela mandasse, Eliot tomou seu lugar no sofá e assistiu enquanto ela cortava os caules das berinjelas. Ela as dividiu em tiras compridas, estreitas, depois em quadrados pequenos, cada vez menores, até o tamanho de cubos de açúcar.

— Isto aqui eu vou pôr num ensopado bem gostoso com peixe e banana-verde — ela anunciou. — Só que vou ter de ficar sem a banana-verde.

— Nós vamos buscar o peixe?

— Nós vamos buscar o peixe.

— O sr. Sen vai levar a gente?

— Calce seu sapato.

Deixaram o apartamento sem arrumar as coisas. Lá fora estava tão frio que Eliot sentiu os dentes congelarem. Entraram no carro e a sra. Sen rodou pela estradinha várias vezes. A cada vez ela parava no grupo de pinheiros para observar o trânsito da rua principal. Eliot achou que ela estava só praticando enquanto esperavam o sr. Sen. Mas então ela deu sinal e virou.

O acidente aconteceu depressa. Depois de cerca de um quilômetro e meio, a sra. Sen virou à esquerda antes da hora e, embora o carro que vinha conseguisse sair do trajeto dela, ela ficou tão assustada com a buzina que perdeu o controle da direção e bateu num poste telefônico da esquina oposta. Um policial chegou e pediu sua carteira de motorista, mas ela não tinha para mostrar.

— O sr. Sen é professor de matemática na universidade — foi tudo o que ela disse como explicação.

O dano foi leve. A sra. Sen fez um corte no lábio, Eliot reclamou brevemente de uma dor nas costelas, e o para-choque do carro podia ser endireitado. O policial achou que a sra. Sen tinha feito um corte na cabeça, mas era apenas a tintura vermelha. Quando o sr. Sen chegou, trazido por um colega, falou longamente com o policial enquanto preenchia alguns formulários, mas não disse nada para a sra. Sen na volta para o apartamento. Quando desceram do carro, o sr. Sen tocou a cabeça de Eliot.

— O policial disse que vocês tiveram sorte. Muita sorte de saírem sem nenhum arranhão.

Depois de tirar a sandália e pôr na estante, a sra. Sen guardou a lâmina que ainda estava no chão da sala e jogou os pedaços de berinjela e os jornais na lata de lixo. Preparou um prato de bolachas com manteiga de amendoim e colocou em cima da mesinha de centro, depois ligou a televisão para Eliot assistir.

— Se ele ainda estiver com fome dê para ele um picolé da geladeira — ela disse ao sr. Sen, que se sentou à mesa de fórmica examinando a correspondência. Ela então entrou no quarto e fechou a porta. Quando a mãe de Eliot chegou, às quinze para as seis, o sr. Sen contou a ela todos os detalhes do acidente e ofereceu um cheque para reembolsar o pagamento de novembro. Enquanto ele preenchia o cheque, se desculpou em nome da sra. Sen. Disse que ela estava descansando, embora quando foi ao banheiro Eliot a tenha ouvido chorando. Sua mãe ficou satisfeita com o arranjo e, enquanto rodavam para casa, confessou a Eliot que em certo sentido estava aliviada. Era a última tarde que Eliot passava com a sra. Sen, ou com qualquer *baby-sitter*. A partir de então a mãe lhe deu uma chave, que ele usava pendurada no pescoço. Ele podia chamar os vizinhos em caso de emergência e entrar na casa de praia depois da escola. No primeiro dia, quando estava tirando o casaco, o telefone tocou. Era sua mãe ligando do escritório.

— Você agora é grande, Eliot — ela disse. — Tudo bem? — Eliot olhou pela janela as ondas cinzentas que batiam na praia e disse que estava tudo bem.

ESTA CASA ABENÇOADA

Encontraram a primeira num armário acima do fogão, ao lado de uma garrafa ainda fechada de vinagre de malte.

— Adivinhe o que eu encontrei? — Twinkle entrou na sala, tomada de ponta a ponta por caixas de papelão fechadas com fita, acenando o vinagre numa mão e uma efígie de Cristo de porcelana branca, mais ou menos do mesmo tamanho da garrafa de vinagre, na outra mão.

Sanjiv ergueu os olhos. Estava ajoelhado no chão, marcando com pedaços rasgados de *post-it* os trechos de rodapé que precisavam ser retocados.

— Jogue fora.

— Qual dos dois?

— Os dois.

— Mas eu posso usar o vinagre para cozinhar alguma coisa. Está novinho.

— Você nunca usa vinagre para cozinhar.

— Procuro alguma coisa. Num daqueles livros que ganhamos no nosso casamento.

Sanjiv voltou ao rodapé para recolocar um pedaço de *post-it* que havia caído no chão.

— Confira a data de validade. E se livre ao menos dessa estátua idiota.

— Mas pode valer alguma coisa. Quem sabe? — Ela virou a estátua de cabeça para baixo e passou o indicador pelas minúsculas dobras imobilizadas do manto. — É bonitinha.

— Nós não somos cristãos — disse Sanjiv. Ultimamente, ele vinha notando que precisava afirmar o óbvio para Twinkle. No dia anterior tivera de dizer que, se ela arrastasse sua ponta da escrivaninha em vez de levantá-la, ia riscar os tacos do piso.

Ela deu de ombros.

— Não, não somos cristãos. Somos bons hindus. — Ela plantou um beijo no alto da cabeça do Cristo, depois colocou a estátua em cima do aparador da lareira, do qual, como Sanjiv observou, era preciso tirar o pó.

No final da semana, o aparador ainda estava empoeirado; mas passara a servir como estante de exposição de uma considerável coleção de parafernália cristã. Havia um cartão 3D de são Francisco em quatro cores, que Twinkle encontrara pregado com fita na parte interna da porta do armarinho de remédios, um chaveiro com cruz, no qual Sanjiv pisara descalço ao instalar estantes extras no escritório de Twinkle. Escondida no armário de roupas de cama, havia uma pintura de colorir por números dos três reis magos, contra um fundo de veludo negro. Havia também um suporte de ladrilhos mostrando um Jesus loiro e sem barba, pronunciando um sermão no alto de uma montanha, deixado em uma das gavetas do armário embutido de louças na sala.

— Você acha que os donos anteriores eram convertidos? — Twinkle perguntou no dia seguinte, abrindo espaço para um globo de plástico cheio de neve que continha um presépio em miniatura, encontrado atrás dos canos da pia da cozinha.

Sanjiv estava organizando na estante, em ordem alfabética, seus textos de engenharia do MIT, embora fizesse alguns anos que não precisava consultar nenhum deles. Depois que se formou, ele se mudara de Boston para Connecticut, para trabalhar numa empresa perto de Hartford, e recentemente ficara sabendo que estava sendo cogitado para a posição de vice-presidente. Aos trinta e três anos, tinha secretária própria e uma dúzia de pessoas trabalhando sob sua supervisão que supriam de bom grado qualquer informação que precisasse. Mesmo assim, a presença dos livros de faculdade na sala o relembrava de um tempo prazeroso de sua vida, quando toda noite atravessava a pé a ponte de avenida Mass para comprar frango *mughlai* com espinafre em seu restaurante indiano preferido, do outro lado do rio Charles, e voltava a seu alojamento para passar a limpo seus conjuntos de problemas.

— Ou talvez seja uma tentativa de converter as pessoas — Twinkle divagou.

— Claro que o plano deu certo no seu caso.

Ela não lhe deu ouvidos, sacudindo o pequeno globo de plástico de forma que a neve dançasse em torno da manjedoura.

Ele estudou as peças sobre o aparador. Para ele, era intrigante que cada uma fosse, a sua própria maneira, tão tola. Claramente, não possuíam nenhuma sensação de sagrado. Ficou ainda mais intrigado com Twinkle, que normalmente tinha tanto bom gosto, ficar tão encantada. Aqueles objetos queriam dizer alguma coisa para Twinkle, mas não significavam nada para ele. Deixavam-no irritado.

— A gente devia chamar o corretor. Falar para ele que deixaram toda essa bobagem na casa. Pedir para ele retirar.

— Ah, Sanj — Twinkle gemeu. — Faça o favor. Eu me sentiria péssima de jogar fora essas coisas. Evidentemente eram importantes para as pessoas que moravam aqui. Seria, sei lá, sacrílego, algo assim.

— Se são tão preciosas, então por que estão escondidas pela casa toda? Por que não levaram com eles?

— Deve ter mais — Twinkle disse. Seus olhos examinaram as paredes cor de creme da sala, como se houvesse outras coisas escondidas atrás do revestimento. — O que mais você acha que nós vamos achar?

Mas, ao desempacotarem as caixas e pendurarem as roupas de inverno e as pinturas em seda de procissões de elefantes compradas na lua de mel em Jaipur, Twinkle não encontrou absolutamente nada, para seu desalento. Quase uma semana havia se passado antes de encontrarem, em um sábado à tarde, um pôster em aquarela maior que o tamanho natural de Cristo, chorando lágrimas translúcidas do tamanho de amendoins com casca e usando uma coroa de espinhos, enrolado atrás de um radiador do aquecimento no quarto de hóspedes. Sanjiv pensara que se tratava de uma cortina de enrolar.

— Ah, esse nós temos, simplesmente temos de pendurar. É espetacular demais. — Twinkle acendeu um cigarro e começou a fumar com prazer, acenando-o em torno da cabeça de Sanjiv como se fosse a batuta do maestro da Quinta Sinfonia de Mahler que rugia no estéreo no andar de baixo.

— Agora, olhe aqui. Vou tolerar, por enquanto, seu museuzinho bíblico na sala. Mas me recuso a aceitar esse aí — disse ele, tocando uma das lágrimas-amendoim — em exposição na nossa casa.

Twinkle ficou olhando para ele, exalando placidamente, a fumaça brotando dos dois fluxos estreitos de suas narinas. Ela enrolou o pôster devagar, prendendo-o com um dos elásticos de borracha que sempre tinha no pulso para prender o cabelo escuro, grosso e rebelde, tingido com hena aqui e ali.

— Vou pendurar no meu escritório — ela informou. — Assim você não precisa olhar para ele.

— E a festa de inauguração? Vão querer entrar em todos os cômodos. Eu convidei o pessoal do escritório.

Ela revirou os olhos. Sanjiv notou que a sinfonia, agora em seu terceiro movimento, chegara a um crescendo, pois pulsava com um revelador toque de címbalos.

— Eu ponho atrás da porta — ela propôs. — Assim, quando espiarem para dentro, ninguém vê. Feliz?

Ele ficou olhando-a sair do quarto, com o pôster e o cigarro; algumas cinzas tinham caído no chão onde ela estava. Ele se abaixou, recolheu-as entre os dedos e pôs na palma da mão em concha. Começou o enternecedor quarto movimento, o *adagietto*. Durante o café da manhã, Sanjiv havia lido na capa que Mahler pedira a esposa em casamento mandando a ela o manuscrito dessa parte da partitura. Leu que, embora houvesse elementos de tragédia e conflito na Quinta Sinfonia, era, em primeiro lugar, música de amor e felicidade.

Ele ouviu a descarga da privada.

— A propósito — Twinkle gritou —, se você quer impressionar as pessoas, melhor não tocar essa música. Está me dando sono.

Sanjiv foi até o banheiro para jogar fora as cinzas. A ponta de cigarro ainda boiava na privada, mas a caixa estava enchendo de novo, então ele teve de esperar um momento para dar a descarga outra vez. No espelho do armarinho de remédios, inspecionou seus cílios longos — como os de mulher, Twinkle o provocava. Embora fosse de constituição mediana, seu rosto era um pouco cheio; isso, ao lado dos cílios, ele temia que comprometesse um perfil distinto. Era de estatura moderada também, e desde que parara de crescer sempre desejara ser uns centímetros mais alto. Por essa razão, ficava irritado quando Twinkle insistia em usar salto alto, como tinha feito na noite em que jantaram em Manhattan. Foi no primeiro fim de semana depois que se mudaram para a casa; nessa altura, o aparador já estava bem cheio e tinham discutido no carro o caminho todo. Mas então Twinkle bebeu quatro doses de uísque em um bar sem nome em Alphabet City e esqueceu disso tudo. Ela o arrastou a uma minúscula livraria em St. Mark's Place, onde procurou nas estantes por quase uma hora, e quando saíram insistiu que dançassem um tango na calçada, na frente de estranhos.

Depois, ela cambaleou apoiada no braço dele, ligeiramente acima de sua linha de visão, com um par de sandálias de camurça com estampa de leopardo com salto de sete centímetros. Caminharam assim por quarteirões infindáveis, de volta ao estacionamento fechado na Washington Square, porque Sanjiv tinha ouvido muitas histórias sobre as coisas horríveis que acontecem com carros em Manhattan.

— Mas eu não faço nada o dia inteiro a não ser ficar sentada na minha mesa — ela se lamentou enquanto rodavam para casa, depois que ele mencionou que os sapatos pareciam incômodos e sugeriu que ela talvez não devesse usá-los. — Não dá para usar salto quando estou digitando. — Embora ele abandonasse a discussão, sabia com certeza que ela não passava o dia inteiro a sua mesa; essa tarde mesmo, ao voltar de uma corrida, ele a encontrara inexplicavelmente na cama, lendo. Quando perguntou por que estava deitada no meio do dia, ela disse que estava entediada. Na hora, ele sentiu vontade de dizer para ela: podia desempacotar umas caixas. Podia varrer o sótão. Podia retocar a pintura do peitoril da janela do banheiro e depois podia me avisar para não pôr meu relógio ali em cima. Essas coisas espalhadas, fora do lugar, não a incomodavam. Ela parecia contente com qualquer roupa que encontrasse na frente do armário, com qualquer revista que estivesse jogada por ali, com qualquer música que tocasse no rádio, contente, até curiosa. E agora toda sua curiosidade estava concentrada em descobrir o próximo tesouro.

Poucos dias depois, quando Sanjiv voltou do escritório, encontrou Twinkle ao telefone, fumando e conversando com uma amiga da Califórnia mesmo sendo antes das cinco horas e as taxas de interurbano estarem no pico.

— Pessoas altamente devotas — ela estava dizendo, com uma pausa de vez em quando para exalar a fumaça. — Todo dia é como uma busca ao tesouro. Sério. Você não vai acreditar. Os espelhos dos interruptores dos quartos eram decorados com cenas da Bíblia. Sabe, a arca de Noé, essas coisas. Três quartos, mas um é meu escritório. Sanjiv foi à loja de material de construção e trocou na mesma hora, imagine, trocou todos.

Era a vez de a amiga falar. Twinkle balançou a cabeça, sentou-se no chão na frente da geladeira, com sua calça preta de pezinho e um suéter de chenile amarelo, procurando o isqueiro. Sanjiv sentiu alguma coisa aromática no fogão e foi seguindo cuidadosamente o fio extra longo do telefone, emaranhado em cima dos ladrilhos de terracota mexicana. Abriu a tampa de uma panela que continha algum tipo de molho marrom avermelhado transbordando e fervendo furiosamente.

— É um ensopado feito com peixe. Eu pus vinagre — disse ela, interrompendo a amiga, cruzando os dedos. — Desculpe, o que você estava dizendo? — Ela era assim, se animava e se deliciava com pequenas coisas, cruzava os dedos diante de qualquer acontecimento remotamente imprevisível, como experimentar um sorvete ou pôr uma carta na caixa de correio. Era uma qualidade que ele não entendia. Fazia com que se sentisse idiota, como se o mundo contivesse maravilhas escondidas que ele não conseguia prever, nem ver. Ele olhou para o rosto dela, que, lhe ocorreu, ainda não tinha saído da infância, os olhos sem inquietação, os traços agradáveis indefinidos, como se ainda fosse assentar em alguma expressão permanente. Com um apelido tirado de um versinho infantil, ela ainda conservava um encanto de criança. Agora, no segundo mês de seu casamento, certas coisas o exasperavam: o jeito como ela às vezes soltava perdigotos ao falar, ou como deixava a roupa de baixo que tinha tirado à noite caída aos pés da cama em vez de colocá-la no cesto de roupa suja.

Tinham se conhecido apenas quatro meses antes. Os pais dela, que moravam na Califórnia, e os dele, que ainda viviam em Calcutá, eram velhos amigos e através dos continentes haviam combinado a ocasião em que Twinkle e Sanjiv foram apresentados: um aniversário de dezesseis anos da filha de alguém de seu círculo, num momento em que Sanjiv estava em Palo Alto a negócios. No restaurante, sentaram-se lado a lado a uma mesa que tinha uma plataforma giratória de costeletas, rolinhos primavera, asas de frango, os quais, os dois concordaram, tinham todos o mesmo gosto. Concordaram também em sua paixão adolescente, mas que ainda persistia, pelos romances de Wodehouse e em não gostar de cítara, e mais tarde Twinkle confessou que ficara encantada pelo modo como Sanjiv completava atenciosamente sua xícara de chá durante a conversa.

Então começaram os telefonemas, que ficaram mais prolongados, depois as visitas, primeiro ele a Stanford, depois ela a Connecticut, depois das quais Sanjiv guardava num cinzeiro deixado na sacada as pontas de cigarro amassadas que ela havia fumado durante o fim de semana — isto é, guardava até a visita seguinte dela, quando então passava aspirador no apartamento, lavava os lençóis, até tirava pó das folhas das plantas em homenagem a ela. Twinkle tinha vinte e sete anos e ele descobrira que ela havia sido abandonada recentemente por um americano que tentara ser ator e fracassara; Sanjiv estava sozinho, com rendimentos generosos demais para um homem solteiro e nunca havia se apaixonado. Diante da insistência dos casamenteiros, casaram-se na Índia, em meio a centenas de convidados que ele mal lembrava da infância, debaixo de incessantes chuvas de agosto, sob uma tenda vermelha e alaranjada decorada com luzes de árvore de Natal, na Mandeville Road.

— Varreu o sótão? — ele perguntou a Twinkle depois, quando ela estava dobrando os guardanapos de papel e colocando junto aos pratos. O sótão era a única parte da casa que os dois ainda não haviam submetido à limpeza inicial.

— Ainda não. Vou varrer, prometo. Espero que isto aqui esteja gostoso — ela disse, plantando a tigela fumegante no centro do suporte de Jesus. Havia um pão italiano numa cestinha, salada de alface com cenoura ralada temperada com molho pronto e croutons, e cálices de vinho tinto. Ela não era terrivelmente ambiciosa na cozinha. Comprava frango pré-assado no supermercado e servia com salada de batata preparada sabe-se lá quando, vendida em pequenas embalagens plásticas. Comida indiana, ela reclamava, era uma amolação; detestava picar alho, descascar gengibre, e não conseguia operar um processador, de forma que era Sanjiv quem, nos fins de semana, temperava o óleo de mostarda com paus de canela e cravos a fim de produzir um curry correto.

Ele tinha de admitir, porém, que fosse o que fosse que ela preparara hoje, estava incrivelmente saboroso, atraente mesmo, com lustrosos cubos brancos de peixe, flocos de salsinha e tomates frescos rebrilhando no molho marrom-escuro.

— Como você fez isso aqui?

— Inventei.

— O que você fez?

— Só fui pondo as coisas na panela e acrescentei o vinagre de malte no fim.

— Quanto vinagre?

Ela deu de ombros, cortando um pedaço de pão que mergulhou em sua tigela.

— Como não sabe? Tem de anotar. E se precisar fazer de novo, para uma festa ou alguma coisa assim?

— Eu me lembro — ela disse. Cobriu a cesta de pão com um pano de prato que, ele logo notou, tinha os Dez Mandamentos estampados. Ela sorriu para ele e apertou seu joelho debaixo da mesa. — Confesse. Esta casa é abençoada.

A festa de inauguração estava marcada para o último sábado de outubro, e eles convidaram umas trinta pessoas. Eram todos conhecidos de Sanjiv, pessoal do escritório, e alguns casais indianos da área de Connecticut, muitos que eles mal conheciam, mas que o haviam convidado regularmente, em seu tempo de solteiro, para jantares aos sábados. Ele muitas vezes se perguntava por que o tinham introduzido em seu círculo. Tinha pouco em comum com qualquer um deles, mas sempre comparecia a suas reuniões, comia grão-de-bico condimentado e camarões, fofocava e discutia política, porque raramente tinha outros compromissos. Até então, ninguém conhecera Twinkle. Quando ainda estavam namorando, Sanjiv não queria desperdiçar com pessoas que ele associava a sua vida solitária os breves fins de semana deles juntos. Além de Sanjiv e de um ex-namorado que ela acreditava trabalhar num estúdio de cerâmica em Brookfield, Twinkle não conhecia ninguém no estado de Connecticut. Estava terminando sua dissertação de mestrado em Stanford, um estudo sobre um poeta irlandês de que Sanjiv nunca ouvira falar.

Sanjiv encontrara a casa sozinho, antes de partir para o casamento, por um bom preço, num bairro com um bom sistema escolar. Ficara impressionado com a elegante escada em curva com balaustrada de ferro fundido e com os lambris de madeira escura, com o solário que dava para os arbustos de rododendro e o sólido número 22 de latão, que por acaso era a data de seu aniversário, pregado majestosamente na fachada de um vago estilo Tudor. Havia duas lareiras funcionando, garagem para dois carros e um sótão que podia ser transformado em quarto extra se surgisse a necessidade, como observara o corretor. Naquela altura, Sanjiv não tinha mais dúvida, decidindo que ele e Twinkle morariam juntos ali para sempre, de forma que nem notou os espelhos dos interruptores cobertos com colantes bíblicos, nem o decalque transparente da Virgem em cima da concha, como Twinkle gostava de dizer, pregado na janela do quarto principal. Depois que se mudaram, quando ele tentou raspar o decalque, arranhou o vidro.

No fim de semana anterior à festa, ele estava rastelando o gramado quando ouviu Twinkle dar um grito. Correu até ela, rastelo na mão, preocupado que ela tivesse encontrado um bicho morto ou uma cobra. A brisa fresca de outubro picava a ponta de suas orelhas enquanto os tênis crepitavam nas folhas marrons e amarelas. Quando chegou perto, ela havia caído na grama, desmanchada numa risada quase inaudível. Atrás de um arbusto malcuidado de forsítia, havia uma Virgem Maria de gesso, da altura do quadril deles, com um manto pintado de azul na cabeça à maneira de uma noiva indiana. Twinkle pegou a barra da camiseta e começou a limpar a sujeira da testa da estátua.

— Com certeza você vai querer botar isso aí nos pés da nossa cama — Sanjiv falou.

Ela olhou para ele, perplexa. Sua barriga estava à mostra e ele viu que ela estava arrepiada em torno do umbigo.

— Como assim? Claro que não podemos pôr no quarto.

— Não?

— Não, seu bobo. Isto aqui é para ficar no exterior. Para o gramado.

— Ah, meu Deus, não. Twinkle, isso não.

— Mas tem de ser. Daria azar tirar daqui.

— Os vizinhos todos vão ver. Vão pensar que nós somos malucos.

— O quê? Por causa de uma estátua da Virgem Maria no gramado? Quase todo mundo neste bairro tem uma estátua de Maria no gramado. Nós vamos combinar direitinho.

— Nós não somos cristãos.

— Como você está sempre me lembrando. — Ela cuspiu na ponta do dedo e começou a esfregar intensamente uma mancha particularmente teimosa no queixo de Maria. — Você acha que isto aqui é sujeira ou algum tipo de fungo?

Ele não estava chegando a lugar nenhum com ela, com aquela mulher que conhecia fazia apenas quatro meses e com quem se casara, aquela mulher com quem ele agora repartia sua vida. Pensou, com uma ponta de remorso, nas fotos que sua mãe lhe mandava de Calcutá de possíveis noivas que sabiam cantar, costurar e temperar lentilha sem consultar um livro de receitas. Sanjiv havia considerado essas mulheres, tinha até organizado as fotos em ordem de preferência, mas então conhecera Twinkle.

— Twinkle, não posso deixar as pessoas que trabalham comigo verem essa estátua no jardim.

— Não podem te despedir por ter uma crença. Seria discriminação.

— Não é disso que se trata.

— Por que você dá tanta importância para o que os outros vão pensar?

— Twinkle, por favor. — Ele estava cansado. Apoiou o peso no rastelo enquanto ela começava a arrastar a estátua para o canteiro oval de murta, ao lado do poste de luz que ficava à margem do caminho de tijolos.

— Olhe, Sanj. Ela é tão bonitinha.

Ele voltou a sua pilha de folhas e começou a depositá-las aos punhados dentro de um saco de lixo plástico. Acima de sua cabeça, o céu azul não tinha nuvens. Uma árvore do gramado ainda estava cheia de folhas, vermelhas e alaranjadas, como a tenda debaixo da qual havia se casado com Twinkle.

Ele não sabia se a amava. Tinha dito que sim quando ela lhe perguntara pela primeira vez, uma tarde, em Palo Alto, ambos sentados lado a lado em um cinema escuro, quase vazio. Antes do filme, um dos favoritos dela, alguma coisa em alemão que ele achara extremamente depressivo, ela havia apertado a ponta do nariz no nariz dele, de forma que ele sentira o roçar de seus cílios maquiados com rímel. Nessa tarde ele dissera que sim, a amava, e ela ficara deliciada, lhe dera uma pipoca, deixando o dedo se deter um instante entre seus lábios, como se fosse uma recompensa por ter dado a resposta certa.

Embora ela não dissesse explicitamente, ele concluíra então que ela o amava também, mas agora não tinha mais tanta certeza. Na verdade, Sanjiv não sabia o que era o amor, só o que achava que não era. Não era, concluíra, voltar para um condomínio acarpetado toda noite, usar só o garfo de cima da gaveta de talheres, desviar os olhos delicadamente quando naqueles jantares de fim de semana os outros homens acabavam passando o braço pela cintura das esposas e namoradas, se inclinando de vez em quando para beijar seus ombros ou pescoço. Não era comprar CDs de música clássica pelo correio, estudando metodicamente os compositores mais importantes que o catálogo recomendava e enviando sempre o pagamento na data. Nos meses anteriores ao encontro com Twinkle, Sanjiv começara a se dar conta disso.

— Você tem no banco dinheiro suficiente para sustentar três famílias — a mãe o lembrava quando falavam pelo telefone todo começo de mês. — Precisa de uma esposa para cuidar e amar. — Agora tinha uma esposa, uma esposa bonita, de casta devidamente alta, que logo teria um diploma de mestra. Como não amar?

Nessa noite, Sanjiv serviu-se de um gim-tônica, bebeu um inteiro e quase um segundo também durante um dos blocos do noticiário, depois foi até Twinkle, que estava tomando um banho de espuma, pois anunciara que estava com os membros doendo de rastelar o gramado, coisa que nunca havia feito antes. Ele não bateu na porta. Ela estava com uma máscara azul vivo no rosto, fumando e bebericando *bourbon* com gelo enquanto folheava um livro encadernado em brochura cujas páginas tinham se deformado e ficado cinzentas com a água. Ele olhou a capa: a única coisa escrita nela era a palavra "Sonetos" em letras vermelho-escuras. Ele respirou fundo e informou muito calmamente que, assim que terminasse seu drinque, ia calçar os sapatos, sair e remover a Virgem Maria do gramado.

— Onde vai botar? — ela perguntou, sonhadora, os olhos fechados. Uma de suas pernas emergiu da camada de espuma, se esticando, graciosa. Ela a flexionou e fez uma ponta com os dedos do pé.

— Por enquanto, vou deixar na grama. Amanhã de manhã, a caminho do trabalho vou levar para o lixão.

— Você não ouse. — Ela se levantou, deixando o livro cair na água, espuma escorrendo pelas coxas. — Odeio você — ela anunciou, os olhos se estreitando com a palavra "odeio". Pegou o roupão, amarrou forte na cintura e desceu a escada em curva, deixando pegadas molhadas ao longo do piso de tacos.

— Está pensando em sair de casa assim? — Ele sentiu as têmporas latejarem e sua voz revelava um rosnar desconhecido ao falar.

— E daí? Ninguém tem nada a ver com o jeito como eu saio de casa.

— Onde você pensa que vai a esta hora?

— Você não pode jogar a estátua fora. Eu não vou deixar. — A máscara, agora seca, havia assumido uma qualidade acinzentada e a água de seu cabelo escorria pelos contornos de seu rosto empastelado.

— Posso, sim. E vou.

— Não — disse Twinkle, a voz repentinamente pequena. — Esta é a nossa casa. Nós dois somos donos dela. A estátua faz parte da propriedade. — Ela começou a tremer. Uma pequena poça de água do banho se formara em torno de seus pés. Ele foi fechar a janela, temendo que ela pegasse um resfriado. Então notou que parte da água que escorria pela máscara azul endurecida eram lágrimas.

— Ah, meu Deus, Twinkle, por favor, não era minha intenção. — Ele nunca a tinha visto chorar antes, nunca tinha visto tanta tristeza em seus olhos. Ela não desviou o rosto nem tentou deter as lágrimas; ao contrário, parecia estranhamente em paz. Por um momento, fechou os olhos, pálidos e desprotegidos em comparação com o azul que cobria o restante do rosto. Sanjiv se sentiu mal, como se tivesse comido demais ou de menos.

Ela foi até ele, pôs os braços vestidos com o roupão úmido em torno de seu pescoço, soluçou em seu peito, encharcou sua camisa. A máscara esfarelou nos ombros dele.

Por fim, fizeram uma combinação: a estátua seria colocada num recesso lateral da casa, de forma que não ficasse tão evidente aos transeuntes, mas ainda claramente visível a todos que viessem.

O menu da festa era bastante simples: haveria uma caixa de champanhe, *samosas* de um restaurante indiano de Hartford e grandes travessas de arroz com frango, amêndoas e casca de laranja, que Sanjiv passou a maior parte da manhã e da tarde preparando. Ele nunca recebera em tão grande escala antes e, preocupado que não houvesse bebidas o suficiente, saiu correndo a certa altura para comprar mais uma caixa de champanhe só para prevenir. Por causa disso, queimou uma das travessas de arroz e teve de começar tudo de novo. Twinkle varreu o chão e se ofereceu para ir buscar as *samosas*; tinha mesmo hora marcada na manicure e pedicure para aquele lado. Sanjiv planejava perguntar se ela consideraria a possibilidade de esvaziar a coleção do aparador da lareira, ao menos para a festa, mas ela saiu enquanto ele estava no chuveiro. Ficou fora umas três horas, de forma que foi Sanjiv quem fez o resto da limpeza. Por volta das cinco e meia, a casa estava brilhando, com velas perfumadas que Twinkle havia comprado em Hartford iluminando as peças do aparador e esguias varetas de incenso queimando espetadas na terra dos vasos de planta. Cada vez que passava pelo aparador, ele sentia um arrepio, abominando as sobrancelhas erguidas de seus convidados quando vissem os santos de cerâmica tremeluzindo à luz, o galheteiro de sal e pimenta com a forma de Maria e José. Mas ele esperava que apesar de tudo ficassem impressionados com as adoráveis janelas projetadas para fora, o piso de parquê brilhante, a imponente escada em curva, os lambris de madeira, enquanto bebessem champanhe e molhassem samosas em *chutney*.

Douglas, um dos novos consultores da empresa, e sua namorada, Nora, foram os primeiros a chegar. Ambos eram altos e loiros, usando óculos de aro metálico combinando e sobretudos pretos compridos. Nora usava um chapéu preto cheio de penas finas que correspondiam aos ângulos finos de seu rosto. A mão esquerda na mão de Douglas. No braço direito uma garrafa de conhaque com uma fita vermelha no gargalo, que ela entregou para Twinkle.

— Belo gramado, Sanjiv — Douglas observou. — Nós vamos ter de rastelar o nosso nós mesmos, meu bem. E isso terá de…

— Minha esposa. Tanima.

— Me chame de Twinkle.

— Que apelido original — Nora observou.

Twinkle deu de ombros.

— Não tanto. Em Bombaim, existe uma atriz chamada Dimple Kapadia. Ela tem uma irmã que se chama Simple.*

Douglas e Nora ergueram as sobrancelhas ao mesmo tempo, balançando a cabeça devagar, como para deixar o absurdo dos nomes assentar.

— Prazer em conhecer você, Twinkle.

— Peguem um champanhe. Temos litros.

— Espero que não se importe de eu perguntar — Douglas disse —, mas notei a estátua lá fora. Vocês são cristãos? Achei que eram indianos.

— Existem cristãos na Índia — Sanjiv respondeu —, mas nós não somos.

— Adorei sua roupa — Nora disse para Twinkle.

— E eu adorei seu chapéu. Quer fazer o tour completo?

A campainha tocou de novo, e de novo, e de novo. Aparentemente, minutos depois a casa estava cheia de pessoas, conversas e fragrâncias desconhecidas. As mulheres usavam saltos altos, meias de náilon, vestidos curtos de crepe e *chiffon*. Entregavam xales e

* *Dimple* em inglês é "covinha"; *simple* é "simples". *Twinkle* é "piscar", "brilhar", "cintilar". [N.T.]

casacos a Sanjiv, que os pendurava cuidadosamente em cabides no espaçoso armário de casacos, embora Twinkle dissesse às pessoas para jogar suas coisas nos sofás turcos do solário. Algumas mulheres indianas usavam seus sáris mais finos, feitos com filigrana de ouro que envolviam seus ombros em dobras elegantes. Os homens estavam de paletó e gravata, com loções pós-barba de perfume cítrico. À medida que as pessoas circulavam de um cômodo a outro, os presentes se empilhavam na longa mesa de cerejeira que ocupava de um extremo a outro o corredor do andar de baixo.

Sanjiv estava intrigado de terem se dado a tanto trabalho por ele, por sua casa e esposa. A única vez na vida em que algo semelhante acontecera havia sido o dia de seu casamento, mas de alguma forma aquilo era diferente, pois aqueles não eram familiares, mas pessoas que o conheciam apenas casualmente, e em certo sentido não lhe deviam nada. Todo mundo lhe deu os parabéns. Lester, outro colega de trabalho, previu que Sanjiv seria promovido a vice-presidente dentro de dois meses no máximo. As pessoas devoraram as *samosas* e admiraram os tetos e as paredes recém-pintados, as plantas pendentes, as janelas projetadas para fora, as pinturas em seda de Jaipur. Mas acima de tudo admiraram Twinkle e seu *salwar-kameez* brocado, que era num tom de cáqui com decote baixo nas costas, a fieira estreita de pétalas de rosa branca que ela havia trançado habilmente na cabeça e a gargantilha de pérolas com uma safira no centro com que enfeitara o pescoço. Ao som de discos de jazz agitado, tocados sob a supervisão de Twinkle, eles riram de suas anedotas e observações, formando um círculo amplo em torno dela, enquanto Sanjiv reabastecia as *samosas* que mantinha aquecidas no forno, buscava gelo para as bebidas das pessoas, abria garrafas de champanhe com alguma dificuldade e explicava pela quadragésima vez que ele não era cristão. Twinkle é que os conduzia, em grupos definidos para cima e para baixo da escada em curva, para olhar o gramado dos fundos e espiar a escada do porão.

— Seus amigos adoraram o pôster no meu escritório — ela mencionou a ele, triunfante, com a mão na parte baixa de suas costas quando os dois, a certa altura, passaram um pelo outro.

Sanjiv entrou na cozinha, que estava vazia, e comeu com a mão um pedaço de frango da bandeja em cima do balcão porque achou que ninguém estava olhando. Comeu um segundo pedaço, que arrematou com um gole de gim direto da garrafa.

— Grande casa. Grande arroz — Sunil, um anestesista, entrou, levando comida do prato de papel à boca. — Tem mais champanhe?

— Sua esposa, uau! — acrescentou Prabal, vindo atrás. Era solteiro, professor de física em Yale. Durante um momento, Sanjiv ficou olhando para ele, sem expressão, depois ficou vermelho; uma vez, num jantar, Prabal tinha dito que Sophia Loren era "uau!", assim como Audrey Hepburn. — Ela tem irmã?

Sunil pegou uma uva-passa da bandeja de arroz.

— O sobrenome dela é Estrelinha?*

Os dois homens riram e começaram a comer mais arroz da bandeja, mergulhando nele suas colheres de plástico. Sanjiv desceu ao porão para pegar mais bebida. Durante alguns minutos, parou na escada, no silêncio úmido, fresco, abraçando ao peito a segunda caixa de champanhe enquanto a festa rolava no piso acima. Depois, distribuiu o reforço na mesa de jantar.

— É, encontramos tudo na casa, nos lugares mais estranhos — ele ouviu Twinkle dizendo na sala de estar. — Na verdade, continuamos encontrando.

— Não!

— É, sim! Todo dia é como uma caça ao tesouro. É ótimo. Só Deus sabe o que mais vamos encontrar, sem trocadilho.

* O apelido de Twinkle vem da canção infantil "Twinkle, twinkle, little star" ["Brilha, brilha, estrelinha"]. [N.E.]

Foi assim que começou. Como num pacto implícito, todo o grupo juntou forças e começou a examinar cada cômodo, a abrir armários, espiar debaixo de poltronas e almofadas, tatear atrás de cortinas, tirando livros das estantes. Grupos se espalharam, rindo e cambaleando, subindo e descendo a escada.

— Nós nunca exploramos o sótão — Twinkle anunciou de repente e todo mundo a acompanhou.

— Como se sobe lá?

— Tem uma escada no corredor, em algum lugar do teto.

Preocupado, Sanjiv seguiu atrás da multidão para apontar a localização da escada, mas Twinkle já havia encontrado sozinha.

— Eureca! — ela gritou.

Douglas puxou a corrente que soltava os degraus. Seu rosto estava afogueado e ele usava o chapéu de penas de Nora na cabeça. Um a um, os hóspedes desapareceram, homens ajudando mulheres que pisavam com os sapatos de salto alto e correia nos degraus estreitos da escada, as indianas enrolando na cintura as pontas soltas de seus sáris luxuosos. Os homens seguiram atrás, desaparecendo todos rapidamente, até Sanjiv restar sozinho no alto da escada em curva. Passos trovejavam acima da cabeça dele. Não sentia vontade de se juntar aos outros. Se perguntava se o teto iria despencar, imaginou por um segundo a imagem de todos aqueles corpos perfumados e embriagados caindo, emaranhados, em torno dele. Ouviu um grito e então, subindo, ondas de risadas que se expandiam em acordes dissonantes. Alguma coisa caiu, alguma coisa se espatifou. Podia ouvir conversas sobre um baú. Pareciam estar batalhando para abri-lo, batendo fervorosamente na tampa.

Pensou que talvez Twinkle fosse pedir sua ajuda, mas ele não foi convocado. Olhou o corredor e o patamar abaixo, com cálices de champanhe, *samosas* comidas pela metade, guardanapos manchados de batom abandonados em todos os cantos, em todas as superfícies disponíveis. Notou então que Twinkle, na pressa, havia tirado os sapatos, pois estavam ao pé da escada, mules de couro envernizado com saltos iguais a suportes de bolas de golfe e etiquetas de seda ligeiramente escurecidas na parte interna, onde as solas de seus pés tocavam. Colocou-os na porta do quarto principal para ninguém tropeçar ao descer.

Ouviu alguma coisa ranger, abrindo devagar. As vozes estridentes tinham se reduzido a um murmúrio constante. Ocorreu a Sanjiv que estava com a casa só para si. A música tinha terminado e ele podia ouvir, se se concentrasse, o zunir da geladeira, o farfalhar das últimas folhas nas árvores lá fora, o bater dos ramos nas vidraças. Com um toque da mão podia lançar a escada de volta em suas molas para dentro do teto e eles não teriam como descer, a menos que ele puxasse a corrente e permitisse. Pensou em todas as coisas que podia fazer sem ser incomodado. Podia jogar toda a coleção de Twinkle dentro de um saco de lixo, entrar no carro e levar tudo para o lixão, e rasgar o pôster do Jesus chorando, e aproveitar para descer um martelo na Virgem Maria. Então voltaria à casa vazia; em uma hora poderia facilmente recolher os copos e pratos, servir-se de um gim-tônica, comer um prato de arroz aquecido e ouvir seu novo CD de Bach enquanto lia o texto da capa para entender a música devidamente. Tocou de leve a escada, mas ela estava solidamente plantada no chão. Mexê-la exigiria algum esforço.

— Meu Deus, preciso de um cigarro — Twinkle exclamou lá em cima.

Sanjiv sentiu se formarem nós em sua nuca. Sentiu-se tonto. Precisava deitar. Foi para o quarto, mas parou quando viu os sapatos de Twinkle a sua frente na porta. Pensou nela calçando-os nos pés. Mas em vez de se sentir irritado, como se sentia desde que mudaram juntos para a casa, sentiu uma pontada de expectativa diante da ideia dela descendo incerta a escada em curva com aqueles sapatos, raspando um pouco o chão ao passar. A pontada ficou mais forte quando ele pensou nela correndo ao banheiro para retocar o batom, e por fim correndo para pegar os casacos das pessoas, e depois correndo à mesa de cerejeira quando o último convidado tivesse saído, para abrir os presentes de inauguração da casa. Era a mesma pontada que ele costumava sentir antes de terem se casado, quando desligava o telefone depois de uma de suas conversas, ou quando voltava do aeroporto imaginando qual dos aviões que subiam seria o dela.

— Sanj, você não vai acreditar.

Ela desceu de costas para ele, as mãos na cabeça, o alto das costas nuas transpirando, segurando alguma coisa que ele ainda não conseguia enxergar.

— Pegou, Twinkle? — alguém perguntou.

— Peguei, pode soltar.

Ele então viu o que suas mãos seguravam: um busto de Cristo de prata maciça, a cabeça umas três vezes maior que a dele próprio. Tinha uma saliência aristocrática no nariz, magnífico cabelo encaracolado que descia para pronunciadas clavículas e uma testa larga que refletia em miniatura as paredes, as portas e os abajures em volta. A expressão era confiante, como se desse garantia a seus devotos; os lábios inflexíveis, cheios e sensuais. Além disso, usava o chapéu de penas de Nora. Quando Twinkle desceu, Sanjiv a segurou pela cintura para equilibrá-la e pegou o busto de suas mãos quando ela pisou no chão. Pesava bem uns quinze quilos. Os outros começaram a descer devagar, exaustos pela caçada. Alguns correram para baixo em busca de uma bebida.

Ela respirou fundo, ergueu as sobrancelhas, cruzou os dedos.

— Você ficaria muito chateado se a gente puser no aparador da lareira? Só por hoje? Sei que você detesta isso aqui.

Ele detestava mesmo. Detestava sua imensidão, sua superfície impecável, brilhante, seu inegável valor. Detestava que aquilo estivesse na casa e que pertencesse a ele. Ao contrário das outras coisas que haviam encontrado, essa tinha dignidade, solenidade, beleza mesmo. Mas, para sua surpresa, essas qualidades faziam com que odiasse ainda mais a estátua. Acima de tudo odiava aquilo porque sabia que Twinkle adorava.

— Amanhã, eu guardo no meu escritório — Twinkle acrescentou. — Prometo.

Ele sabia que ela nunca levaria para o escritório. Pelo resto de seus dias juntos, ela manteria aquilo no centro do aparador, guardado de ambos os lados pelo resto da coleção. Cada vez que tivessem convidados, Twinkle explicaria como ela havia encontrado aquilo e eles a admirariam ao ouvir. Sanjiv olhou as pétalas de rosa amassadas no cabelo dela, a gargantilha de pérolas e safira em seu pescoço, o esmalte carmesim brilhante nas unhas de seus pés. Concluiu que essas eram algumas das coisas que faziam Prabal dizer que ela era "uau"! Sua cabeça doía por causa do gim e os braços doíam por causa do peso da estátua. Ele disse:

— Pus seu sapato no quarto.

— Obrigada. Mas meus pés estão me matando. — Twinkle deu um pequeno apertão em seu cotovelo e foi para a sala.

Sanjiv apertou a maciça cabeça de prata contra as costelas, com cuidado para não deixar escorregar o chapéu de penas, e desceu atrás dela.

O TRATAMENTO DE BIBI HALDAR

Durante a maior parte de seus vinte e nove anos, Bibi Haldar sofreu de um mal que intrigava a família, amigos, sacerdotes, quiromantes, solteirões, terapeutas de cristais, profetas e tolos. No esforço para curá-la, membros preocupados de nossa cidade trouxeram-lhe água benta de sete rios sagrados. Quando ouvíamos seus gritos e espasmos à noite, quando seus pulsos eram amarrados com cordas e cataplasmas ardentes aplicados em sua pele, dizíamos seu nome em nossas orações. Sábios massagearam bálsamo de eucalipto em suas têmporas, vaporizaram seu rosto com infusões de ervas. Por sugestão de um cego cristão, ela foi uma vez levada de trem para beijar as tumbas de santos e mártires. Amuletos que protegiam contra mau-olhado envolviam seus braços e pescoço. Pedras auspiciosas adornavam seus dedos.

Tratamentos propostos por médicos só pioraram as coisas. Alopatas, homeopatas, aiurvédicos, ao longo do tempo, todos os ramos das artes medicinais foram consultados. Seus conselhos não tinham fim. Depois de raios x, apalpações, auscultações e injeções, alguns aconselharam Bibi a ganhar peso, outros a perder. Se um a proibia de dormir além do amanhecer, outro insistia que ficasse na cama até o meio-dia. Este mandava que ficasse de cabeça para baixo, aquele que entoasse versos vedas a intervalos específicos ao longo de todo o dia.

— Levem a moça para fazer hipnose em Calcutá — foi a sugestão de outros. Levada de um especialista a outro, receitaram que ela evitasse alho, consumisse quantidades desproporcionais de amargosas, meditasse, bebesse água de coco-verde, e engolisse ovos de pato crus batidos com leite. Em resumo, a vida de Bibi era um encontro com um antídoto infrutífero atrás do outro.

A natureza de sua doença, que atacou sem aviso, reduzia seu mundo ao prédio de quatro andares sem pintura em que seu único parente local, um primo mais velho e a esposa, alugava um apartamento no segundo andar. Sujeita a cair inconsciente e a entrar, a qualquer momento, em um delírio desavergonhado, não se podia confiar nem que Bibi atravessasse a rua ou tomasse um bonde sem supervisão. Sua ocupação diária consistia em ficar sentada no quarto de depósito na cobertura de nosso prédio, um espaço em que se podia sentar, mas não ficar em pé com conforto, com uma latrina vizinha, entrada cortinada, uma janela sem grade e estantes feitas de painéis de portas velhas. Ali, de pernas cruzadas em cima de um quadrado de juta, ela registrava inventários da loja de cosméticos que seu primo Haldar possuía e administrava na boca de nosso pátio. Por seus serviços, Bibi não recebia salário, mas davam-lhe refeições, provisões e em todos os feriados de outubro metros de algodão suficientes para encher seu guarda-roupa numa costureira que não cobrasse caro. À noite, ela dormia numa cama de acampamento dobrável na casa do primo, embaixo.

De manhã, Bibi chegava ao quarto de depósito usando sandálias de plástico quebradas e um casaco de andar em casa cuja barra ficava alguns centímetros acima dos joelhos, comprimento que não usávamos mais desde os quinze anos. Suas canelas não tinham pelos, salpicadas com um número generoso de pálidas sardas. Ela lamentava sua sorte e desafiava as estrelas enquanto pendurávamos a roupa lavada ou tirávamos as escamas de nosso peixe. Não era bonita. O lábio superior era fino, os dentes muito pequenos. As gengivas eram salientes quando falava.

— Eu pergunto, é justo uma moça passar anos sentada, esquecida na flor da idade, fazendo listas de rótulos e preço sem nenhuma promessa de futuro? — Sua voz era mais alta que o necessário, como se ela falasse com uma pessoa surda. — É errado ter inveja de vocês, todas noivas e mães, ocupadas com suas vidas e cuidados? É errado querer passar sombra nos olhos, perfumar meu cabelo? Criar um filho, ensinar a ele distinguir doce de amargo, bom de mau?

Todo dia, ela despejava em nós suas incontáveis privações, até ficar insuportavelmente aparente que Bibi queria um homem. Ela queria que falassem com ela, ser protegida, colocada num rumo na vida. Como nós todas, ela queria servir jantares, ralhar com criados, economizar dinheiro em seu *almari* para cuidar das sobrancelhas a cada três semanas no salão de beleza chinês. Ela nos infernizava por detalhes de nossos casamentos: as joias, os convites, o perfume das tuberosas espalhadas no leito nupcial. Quando, por insistência dela, mostrávamos nossos álbuns de fotografias gravados com desenhos de borboletas, ela se debruçava sobre as fotos que mostravam a cerimônia: manteiga vertida nos fogos, troca de guirlandas, peixe pintado com vermelhão, bandejas de conchas e moedas de prata.

— Um número impressionante de convidados — ela observava, passando o dedo pelos rostos deslocados que nos cercavam. — Quando acontecer comigo, vocês vão ser convidadas.

A expectativa começou a atormentá-la com tamanha ferocidade que a ideia de um marido, ao qual todas as suas esperanças estavam atadas, ameaçava às vezes lançá-la em outro ataque. Entre latas de talco e caixas de grampos de cabelo, ela se enrolava no chão da sala de depósito, falando em *non sequiturs*.

— Nunca vão pintar meu rosto com pasta de sândalo. Quem vai me esfregar açafrão? Meu nome nunca vai aparecer em tinta escarlate num cartão.

Seus solilóquios eram enjoativos, seus sentimentos piegas, de seus poros o mal-estar gotejava como uma febre. Em seus momentos mais amargos, nós a embrulhávamos em xales, lavávamos seu rosto na torneira da cisterna e levávamos para ela copos de iogurte com água de rosas. Nos momentos em que estava menos desconsolada, nós a encorajávamos a nos acompanhar até a costureira e renovar suas blusas e anáguas, em parte para ela mudar um pouco de cenário, em parte porque achávamos que isso podia melhorar qualquer possibilidade de casamento que ela tivesse.

— Nenhum homem quer uma mulher vestida feito uma lavadora de pratos — dizíamos a ela. — Quer que as traças roam todo esse seu tecido guardado? — Ela emburrava, fazia bico, protestava, suspirava.

— Aonde eu vou? Me vestir para quem? — perguntava. — Quem me leva no cinema, no jardim zoológico, me compra soda limonada e castanha de caju? Me digam, isso é coisa para eu me preocupar? Não vou sarar nunca, não vou casar nunca.

Mas então receitaram um novo tratamento a Bibi, o mais absurdo de todos. Uma noite, a caminho do jantar, ela caiu no patamar do terceiro andar, batendo com os punhos e chutando com os pés, suando em bicas, perdida para o mundo. Seus gemidos ecoavam na escada e nós saímos correndo de nossos apartamentos para acalmá-la levando abanos de palma e cubos de açúcar e jarras de água gelada para passar na cabeça. Nossos filhos ficaram pendurados nos corrimãos e assistiram a seu paroxismo; nossas criadas foram mandadas a buscar o primo. Levou dez minutos para Haldar sair de sua loja, impassível, a não ser pela cara vermelha. Ele nos disse para parar com aquela aflição, e então, sem nenhum esforço para reprimir seu desdém, despachou-a num riquixá para a policlínica. Foi lá, depois de realizar uma porção de exames de sangue, que o médico encarregado do caso de Bibi, exasperado, concluiu que um casamento haveria de curá-la.

A notícia se espalhou por entre as grades de nossa janela, por nossos varais, por cima dos cocôs de pombos que cobriam o parapeito de nossas coberturas. Na manhã seguinte, três quiromantes diferentes tinham examinado a mão de Bibi e confirmaram que havia, sem dúvida, provas de uma união iminente gravada em sua pele. Pessoas desagradáveis murmuraram indelicadezas em bancas de carne; avós consultaram almanaques para determinar a hora propícia para o noivado. Durante os dias seguintes, ao levar nossos filhos para a escola, buscar a roupa lavada, ficar em filas das lojas racionadas, nós cochichamos. Parecia que o tempo todo o que a pobre moça precisava era de um pouco de atividade. Pela primeira vez, imaginamos os contornos por baixo do casaco de andar em casa e tentamos avaliar os prazeres que ela poderia oferecer a um homem. Pela primeira vez, notamos como era clara sua compleição, o comprimento e o langor de seus cílios, a inegável elegância de suas mãos.

— Dizem que é a única esperança. Um caso de superexcitação. Dizem... — e aí fazíamos uma pausa, corando — ... que as relações vão acalmar o sangue dela.

Nem é preciso dizer que Bibi ficou deliciada com o diagnóstico e começou imediatamente a se preparar para a vida conjugal. Usando os produtos com defeito da loja de Haldar, ela pintou as unhas dos pés e amaciou os cotovelos. Negligenciando as novas remessas entregues na sala de depósito, ela começou a caçar receitas para pudim de *vermicelli* e ensopado de papaia, e anotou-as com letras tortas nas páginas do livro de inventários. Fez uma lista de convidados, uma lista de sobremesas, enumerou lugares que ela pretendia para a lua de mel. Aplicou glicerina para amaciar os lábios, resistia a doces para reduzir suas medidas. Um dia, pediu a uma de nós para acompanhá-la à costureira, que fez para ela um novo *salwar-kameez* de corte godê que estava na moda naquela temporada. Nas ruas, ela nos arrastava aos balcões de cada joalheria, observando as vitrines, pedindo nossa opinião sobre desenhos de tiaras e engastes de medalhões. Na vitrine de uma loja de sári, ela apontou um de seda magenta de Benarasi e um turquesa, depois um da cor de cravos-de-defunto.

— Na primeira parte da cerimônia, vou usar esse, depois aquele, depois aquele.

Mas Haldar e sua mulher pensavam diferente. Imunes a suas fantasias, indiferentes a nossos medos, eles prosseguiam com seus negócios como sempre, enfiados juntos naquela loja de cosméticos que não era maior que um guarda-roupa, cujas paredes eram tomadas de três lados por henas, óleos para cabelo, pedras-pomes e cremes de beleza.

— Não temos tempo para sugestões indecentes — replicava Haldar àqueles que puxavam o assunto da saúde de Bibi. — O que não tem remédio remediado está. Bibi já deu bastante preocupação, bastante preocupação, já sujou bastante o nome da família. — Sua esposa, sentada a seu lado atrás do minúsculo balcão de vidro, abanava a pele manchada acima dos seios e concordava. Era uma mulher pesada cujo pó de arroz, num tom claro demais para ela, se acumulava nas rugas do pescoço. — Além disso, quem vai casar com ela? A menina não sabe nada de nada, fala errado, tem praticamente trinta anos, não sabe acender um fogão de carvão, não sabe fazer arroz, não sabe a diferença entre uma semente de erva-doce e uma de cominho. Imagine ela tentando alimentar um homem!

Tinham certa razão. Bibi nunca tinha aprendido a ser mulher; a doença a deixara ingênua em quase todas as questões práticas. A esposa de Haldar, convencida de que o diabo em pessoa a possuía, mantinha Bibi longe de fogo e chamas. Ela não havia aprendido a usar um sári sem prendê-lo em quatro lugares diferentes, nem sabia bordar colchas ou fazer xales de crochê com qualquer talento excepcional. Não tinha permissão para ver televisão (Haldar achava que as propriedades eletrônicas iriam excitá-la) e era portanto ignorante dos acontecimentos e entretenimentos de nosso mundo. Seus estudos formais haviam terminado depois da nona série.

A favor de Bibi, nós defendíamos que se encontrasse um marido.

— É o que ela sempre quis — apontávamos. Mas era impossível discutir com Haldar e a esposa. O rancor que sentiam por Bibi estava fixado em seus lábios, mais finos que os cordões com que amarravam nossas compras. Quando dizíamos que o novo tratamento merecia uma chance, eles contestavam:

— Bibi possui quantidades insuficientes de respeito e autocontrole. Ela finge a doença para chamar a atenção. O melhor é deixá-la sempre ocupada, longe da confusão que está sempre criando.

— Por que não casar a moça, então? Vocês ao menos se livram dela.

— E desperdiçar nossos lucros com um casamento? Comida para os convidados, pulseiras, comprar uma cama, juntar um dote?

Mas as agruras de Bibi persistiram. Ao final de uma manhã, vestida sob nossa supervisão com um sári de lese de *chiffon* lilás e sandálias com espelhinhos emprestados a ela para a ocasião, ela desceu depressa a escada irregular até a loja de Haldar e insistiu em ser levada ao estúdio do fotógrafo para que seu retrato, como aqueles das futuras noivas, pudesse circular pelas casas dos possíveis maridos. Pela veneziana de nossas sacadas nós a observamos; o suor já deixava semicírculos escuros debaixo dos braços.

— Fora os raios x, eu nunca tirei uma fotografia — ela reclamou. — Os possíveis parentes precisam saber como eu sou. — Mas Haldar recusou. Disse que quem quisesse ver como ela era podia observar em pessoa, chorando, gemendo e afastando os clientes. Ela era uma praga para os negócios, disse ele, uma obrigação, um prejuízo. Quem na cidade precisava de uma foto para saber disso?

No dia seguinte, Bibi parou totalmente de fazer os inventários e em vez disso nos regalou com detalhes imprudentes a respeito de Haldar e da esposa.

— No domingo, ele tira com a pinça os pelos do queixo dela. Eles guardam o dinheiro no congelador, trancado à chave. — Em atenção às coberturas vizinhas, ela passeava pela nossa, gritando;

a cada proclamação, a plateia crescia. — No banho, ela aplica farinha de grão-de-bico nos braços porque acha que vai ficar mais branca. Ela não tem o terceiro dedo do pé direito. Os dois só fazem sestas tão demoradas porque ela não consegue se contentar.

Para calar sua boca, Haldar colocou um anúncio de uma linha no jornal da cidade, solicitando um noivo: "MOÇA, INSTÁVEL, ESTATURA 152 CENTÍMETROS, PROCURA MARIDO". A identidade da possível noiva não era segredo para os pais de nossos rapazes, e nenhuma família estava disposta a encarar um risco tão gritante. Quem podia censurá-las? Muita gente dizia que Bibi falava sozinha, numa língua fluente, mas ininteligível, e que não sonhava ao dormir. Nem mesmo o viúvo solitário que só tinha quatro dentes e consertava nossas bolsas no mercado pôde ser convencido a propor casamento. Mesmo assim, para distraí-la, começamos a treiná-la no papel de esposa. "Franzir a testa feito uma panela de arroz não leva a lugar nenhum. Os homens precisam ser acariciados com sua expressão." Para praticar para a possibilidade de encontrar um pretendente, insistíamos que ela conversasse com os homens das redondezas. Quando chegava o aguadeiro, no fim de sua ronda, para encher a urna de Bibi na sala de depósito, nós a instruímos a dizer: Como vai?. Quando o carvoeiro descarregava seus cestos na cobertura, nós a aconselhamos a sorrir e fazer algum comentário sobre o tempo. Lembrando de nossas próprias experiências, nós a preparamos para uma entrevista.

— O mais provável é que o noivo chegue com um dos pais, um avô, ou mesmo um tio ou tia. Eles vão ficar olhando, vão fazer várias perguntas. Vão examinar a sola de seus pés, a grossura de sua trança. Vão perguntar o nome do primeiro-ministro, pedir para você recitar poesia, e alimentar uma dúzia de pessoas com meia dúzia de ovos.

Quando havia se passado dois meses sem uma única resposta ao anúncio, Haldar e a esposa se sentiram vingados.

— Agora estão vendo como ela não serve para casamento? Agora estão vendo que nenhum homem em seu juízo perfeito tocaria nela?

As coisas não tinham sido tão ruins para Bibi antes da morte de seu pai. (A mãe não sobrevivera ao parto da menina.) Em seus últimos anos, o velho, um professor de matemática em nossas escolas elementares, tinha acompanhado de perto a doença de Bibi com a esperança de determinar alguma lógica em seu estado.

— Para todo problema existe uma solução — ele respondia sempre que perguntávamos de seu progresso. Ele tranquilizava Bibi. Durante algum tempo, ele tranquilizava a todas nós. Escrevia cartas para médicos na Inglaterra, passava noites lendo livros de casos clínicos na biblioteca, parou de comer carne às sextas-feiras a fim de aplacar seu deus familiar. Por fim, também parou de dar aulas, ensinando só em seu quarto, para poder monitorar Bibi a todos os momentos. Mas, embora na juventude tivesse recebido prêmios por deduzir raiz quadrada de memória, era incapaz de resolver o mistério da doença da filha. Com todo seu trabalho, suas anotações o levaram a concluir apenas que os ataques de Bibi ocorriam com mais frequência no verão que no inverno, e que ela já havia sofrido aproximadamente vinte e cinco grandes ataques no total. Ele criou uma tabela de seus sintomas com orientações de como acalmá-la, e distribuiu por todo o bairro, mas os papéis acabaram perdidos, ou transformados em barquinhos por nossos filhos, ou usados para calcular as contas do mercado no verso.

Além de fazer companhia a ela, além de acalmar seus sofrimentos, além de vigiá-la de vez em quando, havia pouco que pudéssemos fazer para melhorar sua situação. Nenhuma de nós era capaz de entender tamanha desolação. Alguns dias, depois da sesta, nós penteávamos o cabelo dela, lembrando de vez em quando de mudar o lugar do repartido, mas que não ficasse muito largo. A pedido dela, empoávamos a penugem acima de seus lábios e pescoço, definíamos com lápis suas sobrancelhas, e passeávamos com ela em torno do tanque de peixes, enquanto nossos filhos jogavam críquete à tarde. Ela ainda estava determinada a atrair um homem.

— Sem falar de meu estado, sou perfeitamente saudável — ela dizia, sentada num banco à beira do caminho onde homens e mulheres na fase da corte caminhavam de mãos dadas. — Nunca tive uma gripe ou resfriado. Nunca tive icterícia. Nunca tive cólica, nem indigestão. — Às vezes, comprávamos para ela milho defumado na espiga, salpicado com suco de limão, ou dois caramelos *por um tostão*. Nós a consolávamos; quando ela estava convencida de que um homem estava olhando para ela, nós a agradávamos, concordando. Mas ela não era nossa responsabilidade e em nossos momentos privados éramos gratas por isso.

Em novembro, ficamos sabendo que a mulher de Haldar estava grávida. Nessa manhã, na sala de depósito, Bibi chorou.

— Ela diz que eu sou contagiosa, igual a varíola. Diz que eu vou estragar o bebê. — Estava respirando pesado, as pupilas fixas num ponto descascado da parede. — O que vai acontecer comigo? — Não houve resposta ao anúncio do jornal. —Não basta o castigo de carregar sozinha essa maldição? Tenho de ser culpada também de contaminar os outros? — A discórdia cresceu na família Haldar. A esposa, convencida de que a presença de Bibi contaminaria a criança ainda no ventre, começou a enrolar xales de lã na barriga túrgida. No banheiro, Bibi tinha sabonete e toalhas separadas. De acordo com a criada de copa, os pratos de Bibi não eram lavados junto com os outros.

E então, uma tarde, sem nenhum aviso ou alerta, aconteceu de novo. À beira do tanque de peixes, Bibi caiu no caminho. Tremendo. Convulsa. Mordeu os lábios. Um grupo cercou a garota em convulsão imediatamente, ansioso para ajudar no que fosse possível.

O abridor de garrafas de refrigerante segurou os membros dela que se debatiam. O vendedor de pepino fatiado tentou abrir seus dedos. Uma de nós borrifou nela água do tanque. Outra limpou sua boca com um lenço perfumado. O vendedor de jaca estava segurando a cabeça de Bibi, que lutava para se debater de um lado para o outro. E o homem que girava a moenda de cana-de-açúcar pegou um abano que normalmente usava para afastar moscas e agitou o ar de todos os ângulos possíveis.

— Tem algum médico aí no meio?

— Cuidado para ela não engasgar com a língua.

— Alguém informou o Haldar?

— Ela está mais quente que uma brasa!

Apesar de nossos esforços, o tumulto persistia. Lutando com seu adversário, destruída de angústia, ela rilhava os dentes e seus joelhos se retorciam. Passaram-se mais de dois minutos. Nós ficamos olhando, preocupadas. Pensamos no que fazer.

— Couro! — alguém gritou de repente. — Ela precisa cheirar couro. — Então lembramos: na última vez que acontecera, uma sandália de couro de vaca debaixo das narinas dela foi que finalmente libertara Bibi das garras de seu tormento.

— Bibi, o que aconteceu? Conte o que aconteceu — perguntamos, quando ela abriu os olhos.

— Eu senti calor, depois mais calor. Passou uma fumaça na frente de meu olho. O mundo ficou preto. Vocês não viram?

Um grupo de nossos maridos a escoltou para casa. A noite ficou mais pesada, sopraram as cornetas de conchas e o ar ficou denso com o incenso de orações. Bibi resmungava e cambaleava, mas não dizia nada. Estava com as faces contundidas e cortadas aqui e ali. O cabelo emaranhado, os cotovelos com crostas de terra, e faltava um pedacinho de um dente da frente. Nós seguimos atrás, no que achamos que era uma distância segura, levando nossos filhos pela mão.

Ela precisava de um cobertor, de uma compressa, de um sedativo. Precisava de supervisão. Mas, quando chegamos ao pátio, Haldar e a esposa não quiseram recebê-la no apartamento.

— O risco médico é muito grande para uma grávida entrar em contato com uma pessoa histérica — ele insistiu.

Nessa noite, Bibi dormiu na sala de depósito.

O bebê deles, uma menina, nasceu por fórceps no final de junho. Na época, Bibi estava dormindo embaixo outra vez, embora eles mantivessem a cama de acampamento dela no corredor e não a deixassem tocar diretamente na criança. Todos os dias, mandavam-na para a cobertura registrar inventários até a hora do almoço, momento em que Haldar levava a ela os recibos das vendas da manhã e uma tigela de ervilhas amarelas para o almoço. À noite, ela recebia apenas pão e leite, na escada. Outro ataque, e mais um, passaram sem atendimento.

Quando manifestamos nossa preocupação, Haldar disse que não tínhamos nada a ver com isso e recusou-se terminantemente a discutir o assunto. Para expressar nossa indignação passamos a fazer nossas compras em outro lugar; isso constituía nossa única vingança. Ao longo das semanas, as prateleiras de Haldar ficaram empoeiradas. Rótulos desbotaram e colônias perderam o cheiro. Ao passarmos à noitinha, víamos Haldar sentado sozinho, esmagando mariposas com a sola do chinelo. Dificilmente víamos a esposa. Segundo a copeira, ela ainda estava de cama; aparentemente, o parto havia sido complicado.

Veio o outono, com sua promessa das férias de outubro, e a cidade ficou movimentada com as compras e os preparativos para a temporada. Canções de filmes soavam nos amplificadores presos entre as árvores. Galerias e mercados ficavam abertos até tarde. Compramos balões e fitas coloridas para nossos filhos, compramos doces aos quilos, pagamos corridas de táxi para a casa de parentes que não tínhamos visto durante o ano. Os dias ficaram mais curtos, as noites mais frias. Abotoávamos os agasalhos e erguíamos as meias. Então, instalou-se um frio que irritava a garganta. Fizemos nossos filhos gargarejarem com água morna e sal e enrolamos cachecóis em seus pescoços. Mas foi o bebê de Haldar que acabou ficando doente.

Um médico foi chamado no meio da noite e recebeu ordens de baixar a febre.

— Cure a menina — a esposa implorou. Sua estridente comoção acordou todo mundo. — Pagamos qualquer coisa, mas cure nosso bebezinho. — O médico receitou uma fórmula de glucose, aspirinas moídas no pilão, e mandou embrulhar a criança em colchas e cobertores.

Durante cinco dias a febre não cedeu.

— É a Bibi — gemeu a esposa. — Ela que fez isso, contaminou nossa filha. Nunca devíamos ter deixado que voltasse aqui para baixo. Nunca devíamos ter deixado que voltasse para esta casa.

Então Bibi voltou a passar as noites na sala de depósito. Por insistência da esposa, Haldar até mudou o catre desmontável para lá, junto com o baú de lata que continha seus pertences. As refeições eram deixadas cobertas com um escorredor no alto da escada.

— Eu não ligo — Bibi nos disse. — Melhor viver longe deles, ter uma casa minha.

Ela tirou as coisas do baú — alguns casacos de andar em casa, um retrato emoldurado do pai, objetos para costura e um sortimento de tecidos — e arrumou suas coisas nas prateleiras vazias. No fim da semana, o bebê estava recuperado, mas não convocaram Bibi a descer.

— Não se preocupem, eles não me trancaram aqui — ela disse, para nos tranquilizar. — O mundo começa no fim das escadas. Agora estou livre para descobrir a vida que eu quiser.

Mas na verdade ela parou totalmente de sair. Quando a convidávamos para ir conosco ao tanque de peixes ou ver a decoração do templo, ela recusava, dizendo que estava costurando uma cortina nova para pendurar na entrada da sala de depósito. Sua pele parecia cinzenta. Ela precisava de ar fresco.

— Que tal encontrar seu marido? — sugeríamos. — Como você espera seduzir um homem sentada aqui em cima o dia inteiro?

Nada a convencia.

Em meados de dezembro, Haldar removeu toda a mercadoria não vendida das prateleiras de sua loja de produtos de beleza e guardou-as em caixas na sala de depósito. Tínhamos conseguido acabar mais ou menos com seu negócio. No final do ano, a família se mudou, deixando um envelope que continha três mil rupias debaixo da porta de Bibi. Não se soube mais notícias deles.

Uma de nós tinha o endereço de um parente de Bibi em Hyderabad, e escreveu explicando a situação. A carta foi devolvida sem abrir, endereço desconhecido. Antes que as semanas mais frias se instalassem, mandamos consertar as venezianas da sala de depósito e prender uma folha de zinco à moldura da porta, para que ela tivesse ao menos alguma privacidade. Alguém doou um lampião de querosene; outro deu um mosquiteiro velho e um par de meias sem calcanhares. A toda oportunidade, nós a lembrávamos que estávamos a seu lado, que ela podia nos procurar se precisasse de conselho ou de ajuda de qualquer tipo. Durante algum tempo, mandávamos nossos filhos brincar na cobertura à tarde, para que pudessem nos alertar se ela tivesse outro ataque. Mas toda noite ela ficava sozinha.

Passaram-se alguns meses. Bibi havia se recolhido a um profundo e prolongado silêncio. Nós nos revezávamos levando pratos de arroz e copos de chá. Ela bebia pouco, comia menos e começou a assumir uma expressão que não combinava mais com sua idade.

Ao entardecer, circulava pelo parapeito uma ou duas vezes, mas nunca deixava a cobertura. Quando escurecia, punha-se atrás da porta de zinco e não saía por nada. Não a incomodávamos. Algumas de nós começaram a se perguntar se ela estava morrendo. Outras concluíram que ela havia perdido o juízo.

Uma manhã, em abril, quando o calor havia voltado para secar os wafers de lentilha na cobertura, notamos que alguém havia vomitado junto à torneira da cisterna. Quando notamos isso na segunda manhã também, batemos na porta metálica de Bibi. Como não houve resposta, abrimos a porta, uma vez que não tinha trinco.

Nós a encontramos deitada na cama de acampamento. Estava no quarto mês de gravidez.

Disse que não se lembrava o que havia acontecido. Não sabia nos dizer quem tinha feito aquilo. Preparamos para ela semolina com leite quente e passas; mas ela não revelava a identidade do homem. Em vão procuramos sinais de ataque, algum sinal de invasão, mas a sala estava varrida e em ordem. No chão, ao lado do catre, seu caderno de inventário, aberto numa página nova, continha uma lista de nomes.

Ela levou a gravidez até o fim e, uma noite em setembro, a ajudamos a parir um menino. Mostramos a ela como alimentá-lo, como dar banho, como ninar para dormir. Compramos para ela um encerado e ajudamos a costurar roupas e fronhas com os tecidos que ela havia armazenado ao longo dos anos. Um mês depois, Bibi estava recuperada do parto e, com o dinheiro que Haldar lhe deixara, mandou caiar a sala de depósito e colocou cadeados nas janelas e na porta. Depois, tirou o pó das prateleiras, arrumou as poções e loções que restavam, vendendo o inventário de Haldar por metade do preço. Ela pediu que espalhássemos a notícia da liquidação e fizemos isso. Compramos de Bibi nossos sabonetes e *kohl*, nossos pentes e pós de arroz, e, quando ela vendeu o último produto, pegou um táxi até o mercado de atacado e usando seus lucros reabasteceu as prateleiras. Assim criou seu filho e gerenciou um negócio na sala de depósito e fizemos o possível para ajudá-la. Nos anos seguintes, nos perguntamos quem em nossa cidade a havia desgraçado. Alguns empregados nossos foram interrogados, e nas barracas de chá e paradas de ônibus possíveis suspeitos eram debatidos e descartados. Mas não havia por que continuar com uma investigação. Pelo que se via, ela estava curada.

O TERCEIRO E ÚLTIMO CONTINENTE

Deixei a Índia em 1964, com um diploma de comércio e o equivalente, naquela época, a dez dólares no bolso. Durante três semanas, viajei no *SS Roma*, um navio de carga italiano, numa cabine ao lado do motor, atravessando o mar Arábico, o mar Vermelho, o Mediterrâneo, chegando finalmente à Inglaterra. Morei no norte de Londres, em Finsbury Park, numa casa ocupada inteiramente por solteirões bengaleses sem dinheiro como eu, ao menos doze, às vezes mais, todos lutando para se educar e se estabelecer no exterior.

Assisti a palestras na London School of Economy, a LSE, e trabalhei na biblioteca da universidade para sobreviver. Morávamos três ou quatro num quarto, usávamos um único banheiro gelado e nos alternávamos cozinhando paneladas de curry de ovos, que comíamos com a mão numa mesa coberta com jornais. Além de nossos empregos, tínhamos poucas responsabilidades. Aos fins de semana, vagabundeávamos descalços em pijamas amarrados com cordão, tomando chá e fumando Rothmans, ou saíamos para assistir a jogos de críquete na Lord. Em alguns fins de semana, a casa ficava lotada de outros bengalis, aos quais havíamos nos apresentado no mercadinho ou no metrô, e fazíamos ainda mais curry de ovos, e tocávamos canções de Mukesh num gravador de rolo Grundig, e lavávamos os pratos usados na banheira. De quando em quando, alguém da casa se mudava, ia morar com uma mulher que a família em Calcutá determinara que devia casar com ele. Em 1969, quando eu tinha trinta e seis anos, arranjaram meu casamento. Por volta da mesma época, me ofereceram um emprego de período integral nos Estados Unidos, no departamento de processamento de uma biblioteca do Massachusetts Institute of Technology, o MIT. O salário era generoso a ponto de eu poder sustentar uma esposa e fiquei honrado por ser contratado por uma universidade de fama mundial, obtendo assim um *green card* de sexta classe, preparado para viajar ainda mais longe.

Então já tinha dinheiro suficiente para viajar de avião. Fui primeiro a Calcutá, para meu casamento, e uma semana depois voei para Boston, para começar em meu novo emprego. Durante o voo, li *O guia do estudante na América do Norte*, um volume de bolso que havia comprado antes de deixar Londres, por sete xelins e seis *pence* na Tottenham Court Road, porque embora eu não fosse mais um estudante meu orçamento era o de um. Aprendi que os americanos dirigiam do lado direito da rua, não do esquerdo, e que chamavam *elevator* de *lift*, e diziam que o telefone estava *busy*, ocupado, quando *engaged*, em uso.

— O ritmo da vida na América do Norte é diferente do da Grã-Bretanha, como você logo descobrirá — informou o guia. — Todo mundo acha que tem de chegar ao topo. Não espere uma xícara de chá inglês. — Quando o avião começou a baixar sobre o Boston Harbor, o piloto anunciou o clima e a hora, e que o presidente Nixon havia declarado aquele dia feriado nacional: dois homens haviam pousado na Lua. Vários passageiros gritaram vivas. "Deus abençoe a América!", um deles gritou. Do outro lado do corredor, vi uma mulher rezando.

Passei a primeira noite na Associação Cristã de Moços, a ACM da Central Square, em Cambridge, um alojamento barato recomendado pelo guia. Dava para ir a pé até o MIT, e ficava a poucos passos do correio e de um supermercado chamado Purity Supreme.

O quarto tinha uma cama de solteiro, uma escrivaninha, uma pequena cruz de madeira na parede. Uma placa na porta dizia que cozinhar era estritamente proibido. A janela nua dava para a avenida Massachusetts, uma via de tráfego de duas mãos. Buzinas de carros, agudas e prolongadas, soavam uma atrás da outra. Sirenes com luzes piscantes anunciavam infindáveis emergências e uma frota de ônibus trovejava com as portas abrindo e fechando com um chiado poderoso, ao longo de toda a noite. O barulho era constante e perturbador, às vezes sufocante. Eu o sentia no fundo das costelas, assim como sentira o furioso roncar do motor no *SS Roma*. Mas não havia convés de navio para onde escapar, nenhum oceano cintilante para emocionar minha alma, nenhuma brisa para refrescar meu rosto, ninguém com quem conversar. Eu estava cansado demais para percorrer os sombrios corredores da ACM com meu pijama de cordão na cintura. Em vez disso, fiquei sentado à escrivaninha, olhando pela janela a prefeitura de Cambridge e uma fileira de lojas pequenas. De manhã, me apresentei ao trabalho na biblioteca Dewey, um prédio bege que parecia uma fortaleza, no Memorial Drive. Também abri uma conta bancária, aluguei uma caixa de correio e comprei uma tigela de plástico e uma colher na Woolworth, uma loja cujo nome eu reconhecia de Londres. Fui ao Purity Supreme, passeei de um lado para o outro dos corredores, convertendo onças em gramas e comparando os preços com as coisas na Inglaterra. Por fim, comprei uma embalagem pequena de leite e uma caixa de flocos de milho. Foi minha primeira refeição na América. Comi à escrivaninha. Preferi isso a hambúrguer ou cachorro-quente, única alternativa para a qual eu tinha dinheiro nas lanchonetes da avenida Massachusetts, e, além disso, na época, eu ainda não havia comido carne. Mesmo o simples ato de comprar leite era novo para mim; em Londres, entregavam as garrafas na porta toda manhã.

* * *

Em uma semana, eu estava mais ou menos adaptado. Comia flocos de milho e leite de manhã e à noite, e comprei bananas para variar, cortando-as na tigela com a beira da colher. Além disso, comprei saquinhos de chá e uma *flask*, garrafa térmica, que o vendedor da Woolworth chamava de *thermos* (*flask*, ele me informou, era usada para guardar uísque, outra coisa que eu nunca havia consumido). Pelo preço de uma xícara de chá na lanchonete, enchia a garrafa térmica com água fervendo a caminho do trabalho toda manhã e fazia quatro xícaras que tomava ao longo do dia. Comprei uma embalagem de leite maior e aprendi a deixá-la do lado sombreado do peitoril da janela, como tinha visto outro morador da ACM fazer. Para passar o tempo à noite, eu lia o *Boston Globe* no andar térreo, uma sala espaçosa com janelas de vitral. Lia todos os artigos e anúncios, de forma que me familiarizei com as coisas e, quando sentia os olhos cansados, dormia. Só que não dormia bem. Toda noite, tinha de manter a janela totalmente aberta; era a única fonte de ar no quarto abafado e o barulho era intolerável. Eu ficava na cama apertando os ouvidos com os dedos, mas quando adormecia minhas mãos caíam e o barulho do tráfego me acordava de novo. Penas de pombos voavam para o peitoril da janela e uma noite, quando eu punha leite nos flocos de milho, vi que estava azedo. Mesmo assim, resolvi ficar na ACM por seis semanas, até o passaporte e o *green card* de minha mulher ficarem prontos. Assim que ela chegasse, eu teria de alugar um apartamento decente, e de quando em quando estudava a seção de classificados do jornal, ou parava no escritório de acomodações do MIT durante o horário de almoço, para ver o que estava disponível na minha faixa de preço. Foi assim que descobri um quarto para ocupação imediata, numa casa em uma rua sossegada, dizia a lista, por oito dólares semanais. Copiei o número em meu guia e liguei de um telefone público, separando as moedas com que ainda não estava familiarizado, menores e mais leves que os xelins, mais pesadas e brilhantes que moedas.

— Quem está falando? — uma mulher perguntou. A voz era forte e impositiva.

— Boa tarde, minha senhora. Estou ligando a respeito do quarto para alugar.

— Harvard ou Tech?

— Como?

— Você é de Harvard ou do Tech?

Concluindo que Tech devia se referir ao Massachusetts Institute of Technology, respondi:

— Trabalho na biblioteca Dewey — acrescentando hesitante —, no Tech.

— Só alugo quartos para moços de Harvard ou do Tech!

— Sim, senhora.

Ela me deu um endereço e marcou para as sete horas da mesma noite. Trinta minutos antes do horário eu saí, o guia no bolso, o hálito fresco de Listerine. Virei numa rua sombreada por árvores, perpendicular à Massachusetts Avenue. Tufos de grama brotavam nas rachaduras do caminho de entrada. Apesar do calor, eu estava de paletó e gravata, considerando o momento como qualquer outra entrevista; nunca tinha morado em casa de uma pessoa que não fosse indiana. A casa, circundada por uma cerca de alambrado, era branco-creme com acabamento marrom-escuro. Ao contrário da casa de estuque igual às outras da rua em que eu havia morado em Londres, essa casa, totalmente isolada, era coberta de placas de madeira, com um emaranhado de arbustos de forsítia pregado contra a fachada e as laterais. Quando apertei a campainha, a mulher com quem eu havia falado ao telefone gritou do que me pareceu ser apenas o outro lado da porta:

— Um minuto, por favor!

Vários minutos depois, uma mulher minúscula, extremamente velha, abriu a porta. A massa de cabelo branco como neve arrumada como um pequeno saco no alto da cabeça. Logo que entrei na casa, ela se sentou em um banco de madeira colocado ao pé de uma escada acarpetada. Quando se acomodou no banco, numa pequena poça de luz, ela olhou para mim com absoluta atenção. Usava saia preta longa que se abria como uma tenda rígida no chão e uma blusa branca engomada debruada com babados no pescoço e nos punhos. As mãos, cruzadas no colo, tinham longos dedos pálidos, as juntas inchadas e duras unhas amarelas. A idade havia castigado suas feições de modo que quase parecia um homem, os olhos agudos, miúdos, rugas proeminentes de cada lado do nariz. Os lábios, rachados e sem cor, tinham quase desaparecido e as sobrancelhas eram totalmente ausentes. Mesmo assim, parecia feroz.

— Tranque! — ela ordenou. Gritava, mesmo estando a poucos metros de distância. — Passe a corrente e aperte bem esse botão da maçaneta! É a primeira coisa que você tem de fazer quando entra, está claro?

Tranquei a porta como ordenado e examinei a casa. Junto ao banco no qual estava sentada a mulher, havia uma mesa redonda pequena, as pernas completamente escondidas, assim como as da mulher, por uma saia de renda. Na mesa havia um abajur, um rádio transistor, uma bolsa de moedas de couro com fecho de prata e um telefone. Uma grossa bengala de madeira coberta com uma camada de poeira estava encostada de um lado. Havia uma saleta a minha direita, coberta de estantes e cheia de mobília barata com patas de garras. No canto da saleta, vi um piano de cauda com a tampa fechada, coberto de pilhas de papel. Não havia banquinho no piano; parecia ser nele que a mulher estava sentada. Em algum lugar, o relógio da casa tocou sete vezes.

— Você é pontual! — a mulher proclamou. — Espero que seja pontual também com o aluguel!

— Tenho uma carta, minha senhora. — No bolso do paletó, eu tinha uma carta confirmando meu emprego no MIT, que eu trouxera para provar que era de fato do Tech.

Ela olhou a carta, me devolveu cuidadosamente, segurando com os dedos como se fosse um prato de jantar cheio de comida em vez de uma folha de papel. Ela não usava óculos e me perguntei se havia lido uma palavra sequer.

— O último moço sempre atrasava! Ainda me deve oito dólares! Os moços de Harvard não são mais como antes! Só Harvard e Tech nesta casa! Como é o Tech, rapaz?

— Muito bom.

— Conferiu a fechadura?

— Sim, senhora.

Ela bateu no assento do banco ao lado dela com uma mão e disse para eu me sentar. Durante um momento, ficou em silêncio. Depois entoou, como se só ela tivesse essa informação:

— Puseram uma bandeira americana na Lua!

— Sim, senhora. — Até esse momento, eu não tinha pensado muito na história da Lua. Estava no jornal, claro, artigos e mais artigos. Eu tinha lido que os astronautas haviam pousado na costa do mar da Tranquilidade, viajando mais longe que qualquer outra pessoa na história da civilização. Durante algumas horas, exploraram a superfície da Lua. Recolheram pedras nos bolsos, descreveram o ambiente (uma magnífica desolação, segundo um dos astronautas), falaram ao telefone com o presidente e plantaram uma bandeira no solo lunar. A viagem era saudada como a conquista mais espantosa do ser humano. Eu tinha visto no *Globe* fotos de página inteira dos astronautas em suas roupas infladas e lido sobre o que certas pessoas em Boston estavam fazendo no momento exato em que os astronautas pousaram, numa tarde de domingo. Um homem disse que estava operando um pedalinho de cisne com o rádio grudado no ouvido; uma mulher estava assando bolinhos para os netos.

A mulher gritou:

— Uma bandeira na Lua, rapaz! Ouvi no rádio! Não é esplêndido?

— Sim, senhora.

Mas ela não ficou satisfeita com minha resposta. Em vez disso, ordenou:

— Diga "esplêndido"!

Fiquei perplexo e um pouco ofendido com o pedido. Me lembrou o jeito como me ensinavam tabuadas quando criança, repetindo depois da professora, sentado de pernas cruzadas, sem sapatos nem lápis, no chão da minha escola de um só cômodo em Tollygunge. Me lembrou também de meu casamento, no qual repeti infindáveis versos em sânscrito depois do sacerdote, versos que eu mal entendia, que me ligava a minha esposa. Eu não disse nada.

— Diga "esplêndido"! — a mulher gritou de novo.

— Esplêndido — murmurei. Tive de repetir a palavra a plenos pulmões para ela poder ouvir. Eu falava baixo por natureza e relutava especialmente em erguer a voz para uma mulher mais velha que conhecera momentos antes, mas ela não pareceu ofendida. Aparentemente ficou satisfeita, porque sua ordem seguinte foi:

— Vá ver o quarto!

Levantei do banco e subi a estreita escada acarpetada. Havia cinco portas, duas de cada lado de um corredor igualmente estreito, e uma no extremo oposto. Apenas uma porta estava parcialmente aberta. O quarto continha uma cama de casal debaixo do teto inclinado, um tapete marrom oval, uma pia com encanamento exposto e uma cômoda com gavetas. Uma porta pintada de branco abria para um armário, outra para uma privada e uma banheira. As paredes eram cobertas de papel listrado de cinza e marfim. A janela estava aberta; cortinas transparentes oscilavam na brisa. Abri-as e inspecionei a vista: um pequeno quintal ao fundo, com árvores frutíferas e um varal vazio. Fiquei satisfeito. Do pé da escada, ouvi a mulher perguntar:

— O que resolveu?

Quando voltei para baixo e contei, ela pegou a bolsa de couro de cima da mesa, abriu o fecho, procurou dentro com os dedos e tirou uma chave num aro de arame fino. Me informou que havia uma cozinha nos fundos da casa, acessível pela saleta. Eu podia usar o fogão contanto que o deixasse como havia encontrado. Lençóis e toalhas eram fornecidos, mas mantê-los limpos era minha responsabilidade. O aluguel vencia às sextas-feiras de manhã e devia ser deixado no suporte acima do teclado do piano.

— Visitas femininas são proibidas!

— Sou um homem casado, minha senhora. — Era a primeira vez que eu anunciava o fato a alguém.

Mas ela não escutou. — Visitas femininas são proibidas! — insistiu. Ela se apresentou como sra. Croft.

O nome de minha esposa era Mala. O casamento fora arranjado por meu irmão mais velho e sua esposa. Eu vi a proposta sem objeção nem entusiasmo. Era um dever que se esperava de mim, como se esperava de todos os homens. Ela era filha de um professor de Beleghata. Me disseram que sabia cozinhar, tricotar, bordar, desenhar paisagens e recitar poemas de Tagore, mas esses talentos não podiam compensar o fato de não ter a pele clara, de forma que uma fila de homens a havia rejeitado abertamente. Tinha vinte e sete anos, uma idade em que os pais começaram a temer que nunca se casasse, e portanto estavam dispostos a despachar a única filha para o outro lado do mundo a fim de salvá-la da solteirice.

Durante cinco noites, dormimos na mesma cama. A cada noite, depois de aplicar creme no rosto e trançar o cabelo que amarrava na ponta com um fio preto de algodão, ela virava de costas para mim e chorava; tinha saudade dos pais. Embora eu fosse deixar o país alguns dias depois, o costume impunha que ela fosse agora parte de minha família e durante as seis semanas seguintes ela iria morar com meu irmão e sua esposa, cozinhando, limpando e servindo chá e doces aos visitantes. Eu nada fiz para consolá-la. Deitei do meu lado da cama, li meu guia à luz de uma lanterna, preparando minha viagem. Às vezes, pensava no quartinho do outro lado da parede, que pertencera a minha mãe. Agora, estava praticamente vazio; o catre de madeira em que ela dormira um dia estava cheio de baús e roupas de cama velhas. Quase seis anos antes, ao partir para Londres, eu a vira morrer naquela cama, a encontrara brincando com os próprios excrementos nos últimos dias. Antes de ser cremada, eu havia limpado cada unha de sua mão com um grampo de cabelo e então, como meu irmão não suportava, assumira o papel de filho mais velho e tocara fogo em sua pira para liberar sua alma atormentada para o céu.

Na manhã seguinte, mudei-me para o quarto na casa da sra. Croft. Quando destranquei a porta, vi que ela estava sentada no banco do piano, do mesmo lado que na tarde anterior. Usava a mesma saia preta, a mesma blusa branca engomada e as mãos estavam cruzadas no colo do mesmo jeito. Parecia tão igual que me perguntei se ela teria passado a noite inteira naquele banco. Levei minha mala para cima, enchi minha garrafa térmica com água fervente na cozinha e fui para o trabalho. À noite, quando voltei da universidade, ela ainda estava lá.

— Sente aqui, rapaz! — Ela bateu no lugar a seu lado.

Sentei-me a seu lado no banco. Tinha na mão uma sacola de compras — mais leite, mais flocos de milho e mais bananas, pois minha inspeção da cozinha mais cedo revelara que não havia panelas, tigelas, utensílios para cozinhar. Havia apenas duas panelas na geladeira, ambas com um caldo alaranjado, e uma chaleira de cobre no fogão.

— Boa noite, minha senhora.

Ela me perguntou se eu tinha conferido a fechadura. Eu disse que sim.

Durante um momento, ela ficou em silêncio. Depois, de repente, declarou, com a mesma medida de descrença e prazer da noite anterior:

— Puseram uma bandeira americana na Lua, rapaz!

— Sim, senhora.

— Uma bandeira na Lua! Não é esplêndido?

Fiz que sim com a cabeça, detestando o que sabia que vinha a seguir.

— Sim, senhora.

— Diga "esplêndido"!

Dessa vez fiz uma pausa, olhei de ambos os lados para o caso de alguém me ouvir, embora soubesse perfeitamente que a casa estava vazia. Me senti um idiota. Mas era um pedido pequeno.

— Esplêndido! — exclamei.

Nos dias seguintes aquilo se tornou nossa rotina. De manhã, quando eu saía para a biblioteca, a sra. Croft estava ou escondida em seu quarto, no outro lado da escada, ou sentada no banco, alheia a minha presença, ouvindo notícias ou música clássica no rádio. Mas toda noite, quando eu voltava para a casa, acontecia a mesma coisa: ela batia no banco, me mandava sentar, declarava que havia uma bandeira na Lua e declarava que isso era esplêndido. Eu também dizia que era esplêndido e ficávamos sentados em silêncio. Por estranho que fosse e infindável como me parecia então, o encontro noturno durava apenas cerca de dez minutos; inevitavelmente ela deslizava para o sono, a cabeça caindo abruptamente para o peito, me deixando livre para me retirar para meu quarto. Nessa altura, claro, não havia bandeira nenhuma na Lua. Eu tinha lido no jornal que os astronautas a viram cair ao voarem de volta para a Terra. Mas não tive coragem de contar a ela.

Sexta-feira de manhã, quando venceu meu primeiro aluguel, fui até o piano da sala e pus o dinheiro no suporte. As teclas do piano estavam foscas e descoloridas. Apertei uma e não saiu nenhum som. Eu havia posto as oito notas de um dólar dentro de um envelope com o nome da sra. Croft escrito na frente. Não tinha o costume de deixar dinheiro à vista, descuidado. De onde eu estava, podia ver o perfil de sua saia-tenda. Ela estava sentada no banco, ouvindo rádio. Parecia desnecessário fazê-la levantar e ir até o piano. Nunca a tinha visto andando e concluí, pela bengala encostada na mesa redonda a seu lado, que ela caminhava com dificuldade. Quando me aproximei do banco, ela ergueu os olhos e perguntou:

— O que você quer?

— O aluguel, minha senhora.

— No suporte em cima do teclado do piano!

— Está aqui na minha mão. — Estendi o envelope para ela, mas seus dedos, dobrados no colo, não se mexeram. Curvei ligeiramente o corpo e baixei o envelope, de forma que ficasse logo acima de sua mão. Depois de um momento, ela aceitou, e assentiu com a cabeça.

Nessa noite, quando voltei para casa, ela não bateu no banco, mas por hábito me sentei a seu lado como sempre. Ela me perguntou se eu tinha conferido a fechadura, mas não disse nada da bandeira na Lua. Em vez disso, falou:

— Muita gentileza sua!

— Como disse, minha senhora?

— Muita gentileza sua!

Ela ainda estava com o envelope na mão.

No domingo, bateram em minha porta. Uma mulher de certa idade se apresentou: era a filha da sra. Croft, Helen. Entrou no quarto e examinou cada parede como se procurasse sinais de mudanças, observou as camisas penduradas no armário, as gravatas enroladas nas maçanetas, a caixa de flocos de milho em cima da cômoda, a tigela usada e a colher dentro da pia. Ela era baixa, de cintura grossa, com cabelo grisalho cortado curto e batom rosa brilhante. Usava um vestido de verão sem mangas, um colar de contas brancas de plástico e óculos pendurados numa corrente balançando no peito. A parte de trás das pernas era marcada por veias azul-escuras e a parte superior dos braços pendia como a polpa de uma berinjela assada. Ela me disse que morava em Arlington, uma cidade mais adiante na Massachusetts Avenue.

— Eu venho uma vez por semana trazer mantimentos para minha mãe. Ela não mandou o senhor embora?

— Está tudo muito bem, minha senhora.

— Alguns rapazes vão embora gritando. Mas acho que ela gosta de você. É o primeiro inquilino que ela chama de cavalheiro.

— Satisfação, minha senhora.

Ela olhou para mim, notou meus pés descalços (eu ainda achava estranho usar sapatos dentro de casa e sempre os tirava antes de entrar no quarto).

— É novo em Boston?

— Novo na América, minha senhora.

— De onde? — Ela ergueu as sobrancelhas.

— Sou de Calcutá, Índia.

— É mesmo? Tivemos um sujeito do Brasil, um ano atrás. Vai ver como Cambridge é uma cidade muito internacional.

Assenti com a cabeça e comecei a me perguntar quanto aquela conversa iria durar. Mas, naquele momento, ouvimos a voz amplificada da sra. Croft a subir a escada. Quando saímos para o corredor, a ouvimos gritar:

— Vocês têm de descer imediatamente!

— O que foi? — Helen gritou de volta.

— Imediatamente!

Calcei os sapatos depressa. Helen suspirou.

Fomos até a escada. Era estreita demais para descermos lado a lado, então segui atrás de Helen, que parecia não ter pressa, e a certa altura reclamou de dor no joelho.

— Está andando sem a bengala? — Helen gritou. — Sabe que não pode andar sem a bengala. — Ela parou, a mão apoiada no corrimão, e virou-se para olhar para mim. — Ela escorrega às vezes.

Pela primeira vez, a sra. Croft pareceu vulnerável. Eu a imaginei no chão diante do banco, caída de costas, olhando o teto, os pés apontando em direções opostas. Mas, quando chegamos ao pé da escada, ela estava sentada como sempre, as mãos dobradas no colo. Havia duas sacolas de compras a seus pés. Quando paramos na frente dela, não bateu no banco, nem nos mandou sentar. Estava nos fuzilando com o olhar.

— O que foi, mãe?

— É impróprio!

— O que é impróprio?

— É impróprio uma dama e um cavalheiro que não são casados um com o outro manter uma conversa particular sem acompanhante!

Helen disse que tinha sessenta e três anos, idade suficiente para ser minha mãe, mas a sra. Croft insistiu que Helen e eu conversássemos no andar de baixo, na saleta. Acrescentou que era também impróprio uma dama da classe de Helen revelar a idade e usar uma roupa tão acima do tornozelo.

— Para sua informação, mãe, estamos em 1969. O que a senhora faria se um dia saísse de casa e visse uma moça de minissaia?

A sra. Croft fungou.

— Eu mandava prender.

Helen sacudiu a cabeça e pegou uma das sacolas. Peguei a outra e fui atrás dela através da sala, até a cozinha. As sacolas estavam cheias de latas de sopa, que Helen abriu uma a uma com alguns giros do abridor de latas. Jogou a sopa velha das panelas na pia, lavou as panelas debaixo da torneira, encheu-as com a sopa das latas recém-abertas e colocou na geladeira.

— Alguns anos atrás, ela conseguia abrir as latas sozinha — disse Helen. — Detesta que eu faça isso para ela agora. Mas o piano acabou com as mãos dela. — Ela pôs os óculos, olhou as prateleiras, viu meus sacos de chá. — Vamos tomar uma xícara?

Enchi a chaleira do fogão.

— Se me permite, minha senhora. O piano?

— Ela dava aulas de piano. Durante quarenta anos. Foi como ela nos criou quando meu pai morreu. — Helen pôs as mãos no quadril, olhando a geladeira aberta. Pegou no fundo uma barra de manteiga embrulhada, franziu a testa e jogou no lixo. — Isto deve resolver — disse, e pôs as latas de sopa fechadas no armário. Sentei-me à mesa e observei enquanto Helen lavava os pratos usados, amarrava o saco de lixo, aguava o vaso de clorófito acima da pia e despejava água fervendo em duas xícaras. Me deu uma, sem leite, o fio do saco de chá pendendo do lado, e sentou-se à mesa.

— Desculpe, minha senhora, mas isso basta?

Helen tomou um gole de chá. Seu batom deixou uma mancha rosada sorridente na borda interna da xícara.

— O que basta?

— A sopa nas panelas. É comida que basta para a sra. Croft?

— Ela não come mais nada. Parou de comer sólidos quando completou cem anos. Isso foi, vamos ver, três anos atrás.

Fiquei aflito. Achava que a sra. Croft teria seus oitenta anos, talvez até noventa. Nunca havia conhecido uma pessoa que vivera mais de um século. Que essa pessoa fosse uma viúva que morava sozinha me deixou ainda mais aflito. A viuvez foi o que havia levado nossa mãe à insanidade mental. Meu pai, que trabalhava como escriturário no Correio Central de Calcutá, morrera de encefalite quando eu tinha dezesseis anos. Minha mãe recusara-se a se adaptar à vida sem ele, mergulhara cada vez mais fundo num mundo de sombras do qual nem eu, nem meu irmão, nem parentes preocupados, nem as clínicas psiquiátricas da avenida Rash Behari conseguiríamos salvá-la. O que mais me doía era vê-la tão descuidada, ouvir seus arrotos depois das refeições ou expelir gases na frente de convidados sem o menor embaraço. Depois da morte de meu pai, meu irmão abandonou a escola e começou a trabalhar na tecelagem de juta que acabaria gerenciando a fim de manter a família. E assim, minha função era ficar aos pés da cama de minha mãe e estudar para meus exames enquanto ela contava e recontava as pulseiras em seu braço como se fossem as contas de um ábaco. Tentávamos ficar de olho nela. Uma vez, ela foi seminua até o pátio de bondes antes de conseguirmos trazê-la de volta para dentro.

— Seria um prazer para mim esquentar a sopa da sra. Croft à noite — sugeri, tirando o saquinho de chá da xícara e espremendo o líquido. — Não é problema nenhum.

Helen olhou o relógio e se levantou, despejou o resto do chá na pia.

— Eu não faria isso se fosse você. Esse tipo de coisa é morte para ela.

Nessa noite, depois que Helen voltou para Arlington e a sra. Croft e eu ficamos sozinhos outra vez, comecei a me preocupar. Agora que sabia o quanto ela era velha, me preocupava que algo pudesse lhe acontecer no meio da noite, ou quando eu estava fora, durante o dia. Por vigorosa que fosse sua voz e imperiosa como ela parecia ser, eu sabia que um mero arranhão ou uma tosse podiam matar uma pessoa daquela idade; eu tinha consciência de que cada dia de vida dela era um milagre. Embora Helen tivesse parecido amigável, uma pequena parte de mim se preocupava que ela pudesse me acusar de negligência no caso de acontecer alguma coisa. Helen não parecia preocupada. Ela vinha e ia, trazendo sopa para a sra. Croft, um domingo sim, outro não.

Assim se passaram seis semanas daquele verão. Voltei para casa uma tarde, depois de minhas horas na biblioteca, e passei alguns minutos no banco do piano com a sra. Croft. Dei a ela um pouquinho de minha companhia, garanti que tinha conferido a fechadura e disse que a bandeira na Lua era esplêndida. Algumas tardes, eu ficava sentado a seu lado muito tempo depois de ela ter caído no sono, ainda assombrado com os muitos anos que ela havia passado nesta terra. Às vezes, tentava imaginar o mundo em que nascera, em 1866 — um mundo, eu imaginava, cheio de mulheres de saias pretas compridas e castas conversas na saleta. Agora, quando olhava suas mãos com as juntas inchadas no colo, imaginava-as finas e lisas, tocando as teclas do piano. Às vezes, eu descia antes de ir para a cama para me certificar de que ela estava sentada ereta no banco ou em segurança em seu quarto. Às sextas-feiras, certificava-me de pôr o aluguel em suas mãos. Eu não podia fazer nada por ela, além desses gestos simples. Não era seu filho e, além daqueles oito dólares, não lhe devia nada.

No final de agosto, o passaporte e o *green card* de Mala ficaram prontos. Recebi um telegrama com a informação de seu voo; a casa de meu irmão em Calcutá não tinha telefone. Por volta dessa época, recebi também uma carta dela, escrita poucos dias depois de minha partida. Não havia saudação; dirigir-se a mim pelo primeiro nome suporia uma intimidade que ainda não havíamos descoberto. Continha apenas poucas linhas. "Escrevo em inglês me preparando para a viagem. Estou muito sozinha. É muito frio aí. Tem neve. Sua, Mala."

Não fiquei tocado por suas palavras. Tínhamos passado apenas um punhado de dias um na companhia do outro. E no entanto estávamos ligados; havia seis semanas que ela usava uma pulseira de ferro no pulso e aplicava vermelhão no repartido do cabelo para mostrar ao mundo que era casada. Nessas seis semanas, aguardei sua chegada como se aguarda a chegada do mês seguinte, ou estação — algo inevitável, mas sem sentido na época. Eu a conhecia tão pouco que, embora detalhes de seu rosto me viessem à memória, não conseguia evocar o rosto inteiro.

Poucos dias depois de receber sua carta, quando caminhava para o trabalho de manhã, vi uma mulher indiana do outro lado da Massachusetts Avenue, usando um sári com a ponta solta quase arrastando na calçada, empurrando uma criança num carrinho. Uma mulher americana, com um pequeno cachorro preto na coleira, caminhava a seu lado. De repente, o cachorro começou a latir. Do lado oposto da rua, vi a mulher indiana parar, assustada, no momento em que o cachorro saltou e pegou a ponta do sári entre os dentes. A mulher americana ralhou com o cachorro, pareceu se desculpar e foi embora depressa, deixando a indiana sozinha para arrumar o sári no meio da calçada e acalmar a criança que chorava. Ela não me viu parado ali e acabou seguindo seu caminho. Um incidente desses, compreendi essa manhã, logo estaria entre minhas preocupações. Era meu dever cuidar de Mala, recebê-la e protegê-la. Teria de comprar para ela seu primeiro par de botas de neve, seu primeiro casaco de inverno. Teria de ensinar a ela quais ruas evitar, de que lado vinha o tráfego, apontar que usasse o sári de forma que a ponta solta não arrastasse na calçada. Lembrei, irritado, que uma separação de poucos quilômetros de seus pais a fizera chorar.

Ao contrário de Mala, eu já estava então acostumado a tudo: acostumado aos flocos de milho com leite, acostumado às visitas de Helen, acostumado a sentar-me no banco com a sra. Croft. A única coisa com que não estava acostumado era Mala. Mesmo assim, fiz o que tinha de fazer. Fui ao escritório de alojamento do MIT e encontrei um apartamento mobiliado a poucos quarteirões, com uma cama de casal, cozinha e banheiro, por quarenta dólares semanais. Na última sexta-feira, entreguei à sra. Croft oito notas de um dólar dentro de um envelope, desci minha mala e informei-lhe que estava me mudando. Ela pôs minha chave em sua bolsa de couro. A última coisa que me pediu foi lhe dar a bengala que estava encostada na mesa para que pudesse ir até a porta e trancá-la quando eu saísse.

— Até logo, então — disse ela, e voltou para dentro da casa. Eu não esperava nenhum gesto de emoção, mas fiquei decepcionado mesmo assim. Eu era apenas um inquilino, um homem que lhe pagava um dinheiro e entrara e saíra de sua casa durante seis semanas. Comparadas a um século, não eram nada.

No aeroporto, reconheci Mala imediatamente. A ponta solta de seu sári não arrastava no chão, mas estava sobre a cabeça como indício da modéstia de esposa, assim como estava na cabeça de minha mãe até o dia em que meu pai morreu. Os braços finos e escuros estavam cheios de pulseiras de ouro, um pequeno círculo vermelho pintado na testa e as bordas dos pés decoradas com a tintura vermelha. Eu não a abracei, nem a beijei, nem peguei sua mão. Em vez disso, perguntei, falando bengali pela primeira vez na América, se ela estava com fome.

Ela hesitou e fez que sim com a cabeça.

Eu disse que havia preparado um curry de ovos em casa.

— O que ofereceram para comer no avião?

— Não comi.

— Desde Calcutá?

— O menu dizia sopa de rabada.

— Mas com certeza tinham outras opções.

— A ideia de comer um rabo de boi me fez perder o apetite.

Quando chegamos em casa, Mala abriu sua bagagem e me presenteou com dois suéteres, ambos feitos de lã azul vivo, que ela havia tricotado ao longo de nossa separação, um tinha decote em V, o outro era coberto de cordões; ambos estavam apertados debaixo dos braços. Ela havia me trazido também dois novos pijamas de amarrar na cintura, uma carta de meu irmão e um pacote de chá Darjeeling solto. Eu não tinha nenhum presente para ela além do curry de ovos. Sentamos a uma mesa nua, cada um olhando seu prato. Comemos com as mãos, outra coisa que eu ainda não havia feito na América.

— A casa é boa — ela disse. — O curry de ovos também. — Com a mão esquerda, ela segurava o sári ao peito, para que não escorregasse da cabeça.

— Não sei muitas receitas.

Ela assentiu com a cabeça, tirando a casca de cada batata antes de comer. A certo ponto, o sári escorregou para seus ombros. Ela o arrumou de volta imediatamente.

— Não é preciso cobrir a cabeça — eu disse. — Não me importo. Não é importante aqui.

Mas ela manteve a cabeça coberta mesmo assim.

Esperei me acostumar a ela, sua presença a meu lado, em minha mesa e em minha cama, mas uma semana depois ainda éramos estranhos. Eu ainda não estava acostumado a voltar a um apartamento que cheirava a arroz cozido e encontrar a pia do banheiro sempre limpa, nossas duas escovas de dentes uma ao lado da outra, a barra de sabonete Pears da Índia na saboneteira. Não estava acostumado à fragrância de óleo de coco que ela friccionava toda noite no couro cabeludo, nem ao som delicado de suas pulseiras quando ela se movimentava pelo apartamento. De manhã, ela se levantava antes de mim. Na primeira manhã, quando cheguei à cozinha ela havia aquecido as sobras e posto na mesa um prato com uma colher de sal na borda, supondo que eu ia comer arroz no café da manhã, como a maioria dos maridos em Bengala. Eu disse a ela que bastava o cereal e na manhã seguinte, quando entrei na cozinha, ela já havia servido os flocos de milho em minha tigela. Uma manhã, ela seguiu comigo pela Massachusetts Avenue até o MIT, onde fiz com ela um pequeno giro pelo campus. No caminho, paramos numa loja de materiais de construção e mandei fazer uma cópia da chave para ela poder entrar no apartamento. Na manhã seguinte, antes de eu sair para o trabalho, ela me pediu alguns dólares. Eu entreguei o dinheiro com relutância, mas sabia que isso também era normal agora. Quando voltei para casa, havia um descascador de batatas na gaveta da cozinha e uma toalha na mesa, curry de frango com alho fresco e gengibre no fogão. Não tínhamos televisão nessa época. Depois do jantar, eu lia o jornal, enquanto Mala ficava sentada à mesa da cozinha, trabalhando num cardigã para ela, feito com mais lã azul vivo, ou escrevendo cartas para casa.

Ao final da primeira semana, na sexta-feira, sugeri que saíssemos. Mala deixou o tricô e desapareceu no banheiro. Quando voltou, lamentei a sugestão: ela havia posto um sári de seda limpo, mais pulseiras, e prendera o cabelo com um bonito repartido lateral no alto da cabeça. Estava preparada para uma festa, ou no mínimo um cinema, mas eu não tinha em mente nenhum desses destinos. A noite estava agradável. Caminhamos alguns quarteirões pela Massachusetts Avenue, olhando as vitrines dos restaurantes e das lojas. Depois, sem pensar, levei-a para a rua sossegada que eu havia percorrido tantas noites.

— Foi aqui que eu morei antes de você chegar — eu disse, parando diante da cerca de alambrado da sra. Croft.

— Numa casa tão grande?

— Eu tinha um quarto pequeno no andar de cima. Nos fundos.

— Quem mais mora aí?

— Uma mulher muito velha.

— Com a família dela?

— Sozinha.

— Mas quem cuida dela?

Abri o portão.

— No geral, ela cuida de si mesma.

Me perguntei se a sra. Croft se lembraria de mim; se teria um novo inquilino para se sentar ao lado dela no banco toda tarde. Quando apertei a campainha, achei que ia esperar o mesmo longo tempo daquele dia de nosso primeiro encontro, quando ainda não tinha a chave. Mas dessa vez a porta foi aberta quase imediatamente, por Helen. A sra. Croft não estava sentada no banco. O banco não estava lá.

— Olá — Helen disse, sorrindo com seus lábios rosa brilhantes para Mala. — Mamãe está na sala. Vai ficar algum tempo?

— Se a senhora quiser.

— Então, acho que vou dar uma corrida ao mercado, se não se importam. Ela sofreu um pequeno acidente. Não pode ficar sozinha mais, nem por um minuto.

Tranquei a porta quando Helen saiu e entrei na saleta. A sra. Croft estava deitada de costas no sofá, a cabeça sobre uma almofada cor de pêssego, uma colcha branca fina cobrindo o corpo. As mãos estavam juntas no alto do peito. Quando me viu, ela apontou para o sofá e me disse para sentar. Tomei meu lugar como ela ordenou, mas Mala foi até o piano e sentou-se no banco, que agora estava na devida posição.

— Quebrei o quadril! — a sra. Croft anunciou, como se não se tivesse passado nenhum tempo.

— Ah, nossa!, minha senhora.

— Caí do banco!

— Sinto muito.

— Foi no meio da noite. Sabe o que eu fiz, rapaz?

Sacudi a cabeça.

— Chamei a polícia!

Ela ficou olhando o teto e sorrindo tranquila, expondo uma fileira de dentes havia muito acinzentados. Não faltava nenhum. — O que me diz disso, rapaz?

Perplexo como estava, eu sabia o que tinha de dizer. Sem nenhuma hesitação, exclamei:

— Esplêndido!

Mala riu então. A voz cheia de bondade, os olhos brilhando, divertidos. Nunca a tinha visto rir antes e foi alto o bastante para a sra. Croft ouvir também. Ela se virou para Mala e a fuzilou com o olhar.

— Quem é ela, rapaz?

— É minha esposa, senhora Croft.

A sra. Croft afundou a cabeça num canto da almofada para olhar melhor.

— Sabe tocar piano?

— Não, senhora — Mala respondeu.

— Então levante!

Mala se pôs de pé, arrumou a ponta do sári sobre a cabeça, segurando-o ao peito, e pela primeira vez desde sua chegada senti carinho por ela. Me lembrei de meus primeiros dias em Londres, quando aprendi a tomar o metrô para a Russell Square, subi de elevador pela primeira vez, sem entender que o homem que gritava *piper* queria dizer *paper*, sem conseguir decifrar durante um ano inteiro que o condutor dizia *mind the gap*, cuidado com o vão, toda vez que o trem parava numa estação. Assim como eu, Mala viajara para longe de casa sem saber para onde ia ou o que ia encontrar, sem nenhuma outra razão além de ser minha esposa. Por estranho que parecesse, eu soube em meu coração que um dia sua morte iria me afetar e, mais estranho ainda, que a minha iria afetá-la. Queria explicar isso de alguma forma à sra. Croft, que ainda examinava Mala dos pés à cabeça com algo que parecia um plácido desdém. Imaginei se a sra. Croft já tinha visto uma mulher de sári, com uma pinta vermelha na testa e pulseiras nos braços. Imaginei a que ela iria objetar. Imaginei se veria a tintura vermelha ainda viva nos pés de Mala, apenas sombreada pela barra do sári. Por fim, a sra. Croft declarou, com iguais medidas de descrença e prazer que eu bem conhecia:

— É uma perfeita dama!

Então, fui eu que dei risada. Ri baixo e a sra. Croft não ouviu. Mas Mala ouviu e pela primeira vez olhamos um para o outro e sorrimos.

***

Gosto de pensar que esse momento na saleta da sra. Croft foi o momento em que a distância entre mim e Mala começou a diminuir. Embora ainda não nos amássemos inteiramente, gosto de pensar que os meses que se seguiram foram uma espécie de lua de mel. Juntos, exploramos a cidade e conhecemos outros bengalis, alguns dos quais são amigos nossos até hoje. Descobrimos que um homem chamado Bill vendia peixe fresco na Prospect Street e que uma loja na Harvard Square chamada Cardullo vendia folhas de louro e cravos-da-índia. À noite, passeávamos pelo rio Charles olhando os barcos deslizarem na água, ou tomávamos sorvete em Harvard Yard. Compramos uma câmera Instamatic para documentar nossa vida juntos e fiz fotos dela posando na frente do Prudential para mandar para seus pais. À noite, nos beijávamos, primeiro timidamente, mas logo com ousadia, e descobrimos prazer e consolação nos braços um do outro. Contei a ela minha viagem no *SS Roma*, falei de Finsbury Park e da ACM, de minhas tardes no banco com a sra. Croft. Quando contei histórias sobre minha mãe, ela chorou. Foi Mala quem me consolou quando, ao ler o *Globe* uma noite, topei com o obituário da sra. Croft. Havia meses eu não pensava nela — naquela altura as seis semanas do verão já eram um interlúdio remoto em meu passado —, mas ao saber de sua morte fiquei tocado, a tal ponto que, quando Mala ergueu os olhos do tricô, me viu olhando fixamente a parede, o jornal largado no colo, sem poder falar. A sra. Croft era a primeira morte que eu lamentava na América, porque era a primeira vida que eu havia admirado; ela deixara este mundo afinal, antiga e solitária, para nunca mais voltar.

Quanto a mim, não fui muito mais longe. Mala e eu moramos numa cidade a trinta quilômetros de Boston, numa rua ladeada por árvores, muito parecida com a da sra. Croft, numa casa que adquirimos, com um jardim que nos poupa de comprar tomates no verão e um quarto de hóspedes. Somos cidadãos americanos agora, de forma que podemos recolher o seguro-saúde quando for a hora. Embora, a gente visite Calcutá a cada poucos anos e traga mais pijamas de amarrar na cintura e chá Darjeeling, resolvemos envelhecer aqui. Trabalho numa pequena biblioteca da faculdade. Temos um filho que frequenta a universidade de Harvard. Mala não usa mais o sári sobre a cabeça, nem chora toda noite pelos pais, mas ocasionalmente chora pelo filho. Então, vamos até Cambridge para visitá-lo ou trazê-lo para passar o fim de semana em casa, para que possa comer com as mãos ao nosso lado, e falar bengali, coisas que às vezes nos preocupamos que ele não vá mais fazer quando morrermos.

Sempre que realizamos essa viagem, faço questão de pegar a Massachusetts Avenue, apesar do tráfego. Mal reconheço os prédios agora, mas toda vez que passo por lá, retorno instantaneamente àquelas seis semanas como se fosse ontem, e diminuo a marcha, aponto para a rua da sra. Croft e digo a meu filho que ali foi minha primeira casa na América, onde convivi com uma mulher que tinha cento e três anos.

— Lembra? — Mala diz e sorri, surpresa, como eu, de que tenha havido um tempo em que fomos estranhos. Meu filho sempre expressa sua perplexidade, não com a idade da sra. Croft, mas com o baixo preço do aluguel que eu pagava, um fato quase tão inconcebível para ele como uma bandeira na Lua para uma mulher nascida em 1866. Nos olhos de meu filho, vejo a ambição que primeiro me lançou no mundo. Dentro de alguns anos, ele vai se formar e abrir seu caminho, sozinho e desprotegido. Mas me lembro então que ele tem um pai ainda vivo, uma mãe que é feliz e forte. Sempre que ele desanima, digo que, se eu sobrevivi em três continentes, não há obstáculo que ele não possa superar. Enquanto os astronautas, heróis eternos, passaram apenas algumas horas na Lua, eu permaneci neste novo mundo por quase trinta anos. Sei que minha conquista é bastante comum. Não sou o único homem a procurar fortuna longe de casa e certamente não sou o primeiro. Mesmo assim, há momentos em que me assombro com cada quilômetro que viajei, cada refeição que comi, cada pessoa que conheci, cada quarto em que dormi. Por comum que pareça, há momentos em que tudo fica além da minha imaginação.

ESTE LIVRO, COMPOSTO NA FONTE FAIRFIELD,
FOI IMPRESSO EM PAPEL PÓLEN NATURAL 70 G/M, NA BMF.
SÃO PAULO, BRASIL, JUNHO DE 2023